Wang

An Wang
avec la collaboration de Eugene Linden

WANG

Les leçons d'une réussite

traduit de l'américain par Jacqueline Lahana et Claude Hurel

Londreys

A mon père si droit,
à ma mère si tendre, à sa mère,
à ses frères et sœurs
qui ont veillé sur mon enfance et mon adolescence.

Le maître dit :
« Apprendre et répéter, quand il le faut, ce que l'on a
appris, n'est-ce pas, après tout, un plaisir ? »

Préambule du *Lun Yü (Les Entretiens Familiers)*, l'un des plus
grands classiques de Confucius.

Remerciements

J'aimerais rendre hommage aux nombreuses personnes qui m'ont soutenu dans la vie et ont contribué à mener à bien ce projet.

Mes remerciements s'adressent tout d'abord à mes maîtres — à ceux de Chine comme à ceux d'Amérique. Aux maîtres qui m'ont suivi à l'école, je dois une grande part de mon habileté manuelle et de mes connaissances, combinaison précieuse si décisive pour ma carrière. A ceux qui m'ont suivi au-delà de l'école, je dois une grande part de mon succès.

J'aimerais surtout remercier toutes les personnes qui ont travaillé avec moi à Wang Laboratories. En un sens, mon histoire est aussi la leur. Si je n'ai pu en citer nommément que quelques-unes dans ce livre, leur talent et leur effort témoignent du talent et de l'effort des milliers d'individus qui ont bâti notre réputation.

Je dois également beaucoup aux membres de la communauté Wang qui se sont occupés de réunir la documentation nécessaire à la rédaction de ce livre. Paul Guzzi et Ed Pignone ont écarté tous les obstacles susceptibles d'en retarder l'achèvement ; Stasia Lyons s'est chargée des nombreux brouillons ; Nancy Houghton et Rita Conlon ont veillé à l'organisation des entretiens et des rendez-vous ; Paul Mc Cauley a vérifié toute la partie technique.

J'exprimerais, en outre, toute ma gratitude à Theresa Burns, dont les talents éditoriaux ont permis de faire aboutir ce livre.

Enfin, je tiens à préciser que le produit de la vente de cet ouvrage ira directement au Wang Institute of Graduates Studies, institution privée d'enseignement supérieur.

Introduction

Je m'étonne toujours de voir tant de personnes douées trébucher d'une manière ou d'une autre au cours de leur vie. Les gens échouent à réaliser ce qu'ils avaient projeté de faire, ou s'ils y parviennent, trop souvent, hélas, une percée en flèche occasionne une chute précipitée. Bien que la chance joue un rôle certain dans la réussite ou dans l'échec, je reste convaincu que le succès n'a pas de « secrets ». Les gens échouent la plupart du temps parce qu'ils se mettent eux-mêmes des bâtons dans les roues. Si on parvient à progresser sans faux pas, les autres crient alors au génie. J'ai écrit ce livre pour montrer que le succès relève du bon sens commun plutôt que du génie.

J'ai quitté la Chine il y a quarante et un ans pour m'installer aux Etats-Unis. Depuis, l'Amérique a connu plusieurs bouleversements, plus particulièrement dans le domaine économique ; elle est notamment apparue, après la seconde guerre mondiale, comme le leader mondial de la technologie de pointe. J'y ai un peu contribué. Entré au laboratoire de Calcul de Harvard à la fin des années 1940, j'ai participé au développement des mémoires à tores, prélude indispensable à l'essor des ordinateurs modernes. Par la suite, je suis devenu un homme d'affaires afin de

11

trouver des débouchés à mes inventions en électronique numérique*.

*Depuis sa fondation il y a trente-cinq ans, Wang Laboratories est passé du stade de petite officine dirigée par un seul homme à une compagnie multinationale réalisant un chiffre d'affaires de trois milliards de dollars, employant près de trente mille personnes. Spécialisée d'abord dans la fourniture d'équipements électroniques au gouvernement, aux laboratoires de recherche et à l'industrie, cette société a ensuite mis la puissance de l'ordinateur au service de la bureautique. Depuis sa création, elle a connu une croissance annuelle moyenne d'environ 42 %.

Au cours des années, le monde de la finance en est venu à considérer cette croissance comme normale, et à citer la compagnie comme un modèle de planification à long terme. Cependant, comme nul ne l'ignore dans le milieu des affaires, la croissance des résultats ne doit jamais être tenue pour acquise, ni à long ni à moyen ni à court terme. A mesure que le marché change et que la société grandit, elle doit s'adapter et les périodes de transition indispensables à cette adaptation ne sont pas toujours faciles, même si vue de loin, l'évolution semble se dérouler sans à-coups.

Lorsque j'ai créé mon entreprise, je ne m'attendais pas à ce qu'elle prenne cette ampleur. Je n'avais pas non plus prévu l'avènement de l'informatique. Je savais seulement qu'il serait téméraire d'avancer des prédictions pour l'avenir. En effet, le progrès ne suit jamais une ligne droite ; l'avenir n'est pas une simple projection des tendances du présent. Disons plutôt qu'il est révolutionnaire (c'est la raison pour laquelle nous parlons de la révolution informatique). Il bouleverse la sagesse conventionnelle du présent, qui souvent masque ou ignore les prémices du futur.

* N.d.T. numérique ou digitale, les deux termes seront indifféremment employés.

A la fin des années 1940, alors que je poursuivais mes recherches sur les mémoires à tores, la sagesse nous soufflait que quelques grands calculateurs suffiraient largement à satisfaire les besoins. Cette vision des choses peut sembler étonnante et un peu simpliste aujourd'hui, elle reflétait pourtant l'opinion de personnes aussi éminentes que Howard Aiken, le pionnier de l'informatique qui, après avoir pris en considération la société et l'économie, était parvenu aux mêmes conclusions.

Si la révolution informatique a donné naissance à une énorme industrie, peu de ses pionniers en ont tiré des profits. Aucune de ses étapes ne promettait des perspectives d'avenir certaines. Bon nombre de pionniers se sont aperçus à leurs dépens qu'il ne suffisait pas d'être un magicien de la technologie pour comprendre les problèmes de marché ou de société et la manière dont l'un et l'autre évoluaient. La technologie et la société sont inséparables, elles s'influencent mutuellement.

La nature révolutionnaire de l'avenir m'a fait comprendre que, pour une société, la clé de la longévité résidait dans ses facultés d'adaptation. Il faut sentir le changement avant même de savoir où il mènera. Cela ne signifie pas qu'il faille faire des prévisions sur des décennies ; bien au contraire, il convient de considérer le présent avec lucidité et d'anticiper de trois à cinq ans les besoins des individus.

J'ai su m'adapter, car j'ai toujours été poussé par les besoins de la société. En technologie, cela implique d'inventer des solutions plutôt que des ordinateurs. De même qu'un vendeur d'automobiles ne demande pas à son client d'étudier la mécanique, de même, un fabricant d'ordinateurs ne devrait pas demander au sien d'apprendre le fonctionnement de l'appareil. La plupart des gens ne souhaitent pas davantage s'y intéresser qu'une personne qui emprunte les transports en commun ne souhaite s'intéres-

13

ser au moteur à explosion. D'un autre côté, si une machine accomplit leur travail de manière plus efficace et avec plus d'aisance, ils s'y intéressent même s'ils se soucient peu de savoir si la machine en question s'appelle ou non ordinateur.

A de nombreuses reprises, nous nous sommes trouvés très bien placés à la fois pour faire des découvertes et pour profiter des perspectives qu'elles ouvraient. Si la chance y était souvent pour quelque chose, il m'a fallu prendre les bonnes décisions à chaque étape de notre croissance, au niveau de la technologie, des produits, de la gestion et du financement. N'ayant suivi de formation dans aucune de ces branches, l'ingénierie exceptée, j'ai dû apprendre à régler au fur et à mesure les divers problèmes qui se posent lorsqu'on dirige une affaire.

Ma façon d'appréhender la gestion des affaires était très simple. A chaque stade de développement de Wang Laboratories, j'acquérais le savoir suffisant pour pouvoir mener à bien le stade suivant. Une croissance trop rapide, la mise sur pied de projets trop ambitieux ne peuvent que mener au désastre. Je n'ai jamais réellement souhaité pour Wang une croissance annuelle de plus de 50 %, parce que j'estimais que je ne serais pas capable de diriger une compagnie qui se développerait à un rythme plus rapide. Chaque nouveau défi gagné me permettait d'éprouver une plus grande confiance en moi et de me sentir mieux armé pour en affronter de plus grands, lors de l'étape suivante.

Aujourd'hui où je peux me permettre de regarder en arrière et de faire le point, je m'aperçois que l'éducation que j'ai reçue en Chine a beaucoup influencé ma conduite des affaires aux Etats-Unis. Les valeurs qui m'ont été enseignées là-bas, proches de celles prônées par Confucius, mettent l'accent sur le comportement individuel et la modération. Toutefois, malgré mon respect pour le confucianisme, je n'ai nullement essayé d'adapter cette très ancienne philosophie chinoise à l'Amérique contemporaine. En fait, je n'ai cherché à concevoir aucun système.

Certaines des vertus ou qualités qui sous-tendent mon processus de décision jouent à mon sens un rôle dans le succès ou l'échec d'une entreprise. La plus importante, selon moi, est la simplicité. Je ne suis guère amateur d'arguments alambiqués ou d'explications confuses. Quelle que soit sa complexité, un problème technique ou scientifique peut toujours être réduit à une forme simple et compréhensible. Dans ma spécialité, l'électronique, la solution la plus simple est généralement la meilleure.

De même, confronté à une situation délicate comportant de nombreux paramètres, un homme d'affaires pourra toujours la réduire à une forme plus simple, de laquelle émergera la variable fondamentale. Lorsqu'en 1971 j'ai décidé que nous devions abandonner les calculatrices électroniques, mon entourage ne s'inquiétait que de notre cotation en bourse, du maintien de notre position de leader et de nos recettes, alors que je me préoccupais uniquement des implications stratégiques d'une baisse considérable des prix avec l'apparition sur le marché de circuits semi-conducteurs intégrés. Simplement, je me rendais compte que les calculatrices étaient en train de devenir un produit de consommation courante, c'est-à-dire qu'il en existait de différentes marques et que le choix portait sur leur prix plutôt que sur leurs performances. La décision que j'ai prise n'était pas évidente, mais elle s'imposait à partir du moment où l'on prenait la peine d'examiner le problème.

Outre la simplicité, les atouts qui me semblent essentiels pour réussir sont la modération et la patience, la faculté de communiquer et de s'adapter, l'esprit de décision, l'assurance, un mode de pensée original, un sentiment de res-

15

ponsabilité vis-à-vis de la société et enfin, mais non moins indispensable, la chance. L'importance de ces facteurs réside dans leur interaction. Même si certains sont antithétiques — par exemple, la patience entre souvent en conflit avec l'esprit de décision — ils ont néanmoins joué un rôle dans tous mes choix.

Une notion émerge de leurs actions réciproques : l'équilibre ; ce qui nous ramène à la philosophie de Confucius. L'équilibre permet de se retrouver dans n'importe quelle situation. Il empêche d'être emporté dans le tourbillon du moment au point d'en perdre de vue ses objectifs et ce que l'on doit faire. Il tempère l'esprit de décision en évitant qu'il ne tourne à la dictature, et la confiance en soi pour qu'elle ne devienne pas une arme à double tranchant.

Apprendre à réfréner ses impulsions dans l'intérêt d'une réussite à long terme est peut-être l'exercice le plus difficile pour une personne au tempérament combatif. Je ne me suis pas installé comme fabricant d'ordinateurs en 1951. Les énormes dépenses qu'une telle entreprise impliquait rendaient ce projet irréalisable. Vingt ans plus tard, Wang Laboratories connaissait une évolution telle que concevoir et construire des ordinateurs semblait tout à fait logique. Nous disposions alors des ressources, des compétences en matière de marketing et des conditions de stabilité nécessaires pour nous embarquer dans ce genre d'aventure.

Aujourd'hui, le marché de la technologie de pointe est devenu une arène où règne une concurrence acharnée, et plusieurs patrons qui avaient quitté l'abri douillet des très grandes sociétés ou de l'université pour s'installer à leur compte ont découvert à leurs dépens qu'il ne suffit pas d'avoir une bonne idée, ni même un bon produit, pour monter une affaire capable de survivre au milieu des géants américains et étrangers. Il en est résulté un mouvement inverse, au sein duquel les gens répètent à l'envi qu'il est impossible de réussir si on ne possède aucune expérience du marketing, de la direction d'une entreprise, de la finance ou de la technologie.

Je ne suis pas de cet avis. La situation n'est pas plus difficile aujourd'hui que lorsque, nouvellement arrivé dans le pays, j'ai fondé ma société. Le changement crée continuellement des occasions pour ceux qui, à l'intérieur ou à l'extérieur de l'establishment, en reconnaissent l'importance. Pour réussir, point n'est besoin d'être un spécialiste ni, surtout, d'être issu d'une classe sociale, d'un groupe ethnique ou d'une famille politique particulière. Je me suis rendu compte qu'avec un peu de bon sens et de discipline, je pouvais être compétitif et me faire une place dans un pays étranger, sans être obligé, pour autant, d'abandonner les valeurs auxquelles j'étais attaché. J'ai certainement commis pas mal d'erreurs dans ma vie mais, même alors, je me suis aperçu que je pouvais en minimiser les conséquences et en tirer des leçons.

Cet ouvrage a pour but de montrer que créer et développer une affaire ne tient nullement de la magie, même dans un domaine aussi ésotérique que la technologie de pointe. On peut réussir sans être doué de pouvoirs prophétiques, prospérer sans diplôme supérieur de gestion, sans se laisser intimider par ceux qui en ont, ni succomber aux divers engouements qui saisissent périodiquement les membres des conseils d'administration. Je crois aussi que décrire comment je m'y suis pris pour diriger mon entreprise pourra être utile à d'autres. Il ne me reste plus qu'à souhaiter que ces pages ne soient pas lues comme une sorte d'inventaire de mes réussites mais plutôt comme l'histoire d'un homme qui a pris des décisions et couru des risques. Le paysage de la société et des affaires a bien changé depuis mes débuts, et il continuera, mais les occasions ne manquent pas pour qui veut les saisir.

I
Préparation

1
L'époque des troubles

Je suis né au milieu de ce que l'on a appelé l'époque des troubles, marquée par la lutte pour s'emparer de l'âme de la Chine après des siècles de domination médiévale. Les massacres qu'elle entraîna, puis l'invasion de ma patrie par les Japonais, ont complètement perturbé mon enfance. Ce fut une époque d'incertitude totale, non seulement pour ma famille et pour moi, mais aussi pour les institutions et les principes qui avaient jusque-là défini la Chine.

La Chine des années 1920 et 1930 n'était pas celle de la contemplation et des arts délicats que les étrangers se plaisent à imaginer. C'était celle des seigneurs de la guerre, de la féodalité, de la corruption, de la brutalité japonaise et de la peur. Si certains s'exposent au danger pour s'éprouver, je n'ai pas eu à chercher bien loin les épreuves ou les catastrophes. Les unes et les autres étaient impossibles à éviter.

Ces bouleversements coûtèrent la vie à mon père et à ma mère ainsi qu'à l'une de mes sœurs. Mais, même avant ces disparitions, j'étais déjà séparé de ma famille depuis plus de dix ans, et souvent contraint de prendre des décisions importantes qui ne sont pas généralement du ressort d'un enfant. Très jeune, j'ai découvert que je pouvais

21

réussir dans des domaines réservés aux adultes ; j'ai appris à m'orienter en territoire peu familier. Si les circonstances — et non un choix délibéré — ont fait de moi un solitaire, la découverte que je pouvais survivre et même prospérer en ne comptant que sur moi-même m'a donné confiance.

J'en suis venu à penser que la confiance prend parfois racine dans les moments les plus durs, les plus pénibles de la vie, et non dans la chaleur et la sécurité. C'est une qualité intangible, dotée d'un mouvement propre. Plus on parvient à survivre et à réussir, plus on est apte à continuer à survivre et à réussir.

Lorsqu'à l'âge de vingt-cinq ans je suis arrivé aux Etats-Unis, je savais que même dans ce monde complexe, je pourrais trouver mon chemin.

Je suis né le 7 février 1920, à Shanghai en Chine. Mon nom, An Wang, signifie « Roi pacifique ». Mes parents ont eu cinq enfants : ma sœur aînée, Hsu, est morte — je n'ai jamais très bien su dans quelles circonstances — en 1945, durant l'invasion japonaise ; j'ai une autre sœur, Yu, et deux frères plus jeunes que moi : Ping et Ge. Yu a six ans de moins que moi, Ping dix et Ge quatorze. Ayant quitté ma famille à treize ans pour être pensionnaire, je n'ai pas eu le temps de m'attacher profondément à mes frères et sœurs qui sont beaucoup plus jeunes que moi.

Nous appartenions à la classe moyenne. Mon père enseignait l'anglais dans une école primaire privée à Kun San, ville située à près de cinquante kilomètres de Shanghai. Lorsque la guerre ou les émeutes interrompaient l'école, il pratiquait la médecine chinoise traditionnelle, ce qui faisait de lui une figure respectée de notre communauté. Remontant à des millénaires, ce genre de médecine utilise des herbes ou autres substances organiques pour soigner des douleurs banales, telles que troubles de la digestion, grippe ou malaria. C'était alors la seule médecine bon marché. Dans la plupart des cas, elle se montrait efficace, et ces docteurs exerçaient leur métier un peu comme les médecins généralistes aujourd'hui.

Mon père était très instruit pour l'époque. Il avait passé une année à l'université de Chiao Tung (à présent Jiao Tong), où je fis d'ailleurs mes études. Lorsqu'il y entra, peu de Chinois fréquentaient la faculté et, même s'il n'y passa qu'un an, il était néanmoins bien plus lettré que la plupart des habitants de notre petite ville.

Homme taciturne et intimidant, il ne plaisantait pas sur la discipline. Par la suite cependant, je devais m'apercevoir qu'il manifestait son affection en actes plutôt qu'en paroles. Tendre et indulgente, ma mère présentait une personnalité diamétralement opposée.

Comme beaucoup d'autres en Chine, notre famille tenait une sorte de journal généalogique que l'un de ses membres les plus aisés devait mettre à jour toutes les deux générations. Ces registres donnent un sentiment de continuité et de permanence que je ne rencontre guère en Occident, plus mobile. Récemment, je m'en suis procuré un exemplaire, et je revois encore mon père me le montrant du doigt sur une étagère, lorsque j'étais enfant. Il paraît qu'il est précis pour les vingt-trois dernières générations, c'est-à-dire jusqu'à l'époque de l'invasion mongole et du voyage de Marco Polo en Chine. Des doutes subsistent pour les vingt-cinq générations antérieures, car le magistrat dont est issue la lignée actuelle avait quitté la région pour prendre son poste à près de deux mille kilomètres de là. Malgré ces imprécisions, j'ai grandi, comme la plupart des petits Chinois, avec le sentiment que ma famille et ma culture existaient depuis bien longtemps.

Jusqu'à vingt-et-un ans, j'ai vécu tantôt à Shanghai tantôt à Kun San, où les ancêtres de mon père avaient vécu pendant six cents ans. L'une des plus fertiles de la Chine, la région dans laquelle j'ai grandi revêt également une importance stratégique. Shanghai, qui, en chinois, signifie « Près de la mer », contrôle l'embouchure du fleuve Yang-Tsê Kiang, voie commerciale convoyant des marchandises, de deux mille kilomètres à l'intérieur des terres jusqu'à la mer. La domination de la Chine passe par la maîtrise de Shanghai. Cela explique pourquoi, pendant mon enfance, la ville s'est toujours trouvée au cœur des conflits.

Peuplée d'environ dix mille habitants et s'étendant sur près de cinquante kilomètres en amont de Shanghai, Kun San possède un sol riche grâce aux alluvions du fleuve. Jadis très bien protégée, la cité était entourée de fossés et, à l'intérieur de ces douves, un rempart de trois mètres de haut et de quatre d'épaisseur isolait son centre. Des siècles plus tard, le mur d'enceinte a été détruit et remplacé par une route périphérique circulaire, mais il subsiste encore quelques douves et des pans de muraille intacts. Le centre est aujourd'hui irrigué de canaux sur lesquels des petits bateaux transportent du poisson et autres marchandises à l'intérieur de la ville.

Au nord de Kun San, se dresse une colline haute d'une centaine de mètres (en chinois, le mot *san* signifie « colline ») que nous avions l'habitude d'escalader mes amis et moi. Composée de minéraux bizarres déposés par le Yang-Tsê, elle est recouverte de buissons et de fleurs. Le long des sentiers courant jusqu'au sommet, se trouvent des aires de repos et de points de vue protégées par des toits en forme de pagode. Jouissant d'un climat tempéré, un peu plus chaud que celui de Boston, la région produit toutes sortes de légumes. Nous n'avons jamais souffert des sécheresses et des famines qui sévissent dans le reste de la Chine. Enfant, j'ignorais tout des souffrances décrites dans *La Terre chinoise* de Pearl Buck.

24

Jusqu'à l'âge de treize ans, j'ai vécu dans quatre maisons différentes. La première, à Shanghai, était située dans un ensemble de bâtiments, entouré de murs et pratiquement sans jardin, appartenant à la famille de ma mère. Comme mon père continuait à enseigner à Kun San, jusqu'à l'âge de six ans, je ne le voyais que pendant les week-ends. La maison, dont nous étions locataires, comprenait un rez-de-chaussée avec une salle de séjour et une cuisine, et un étage avec les chambres à coucher. Sans être luxueuse, elle était agréable, et nous disposions chacun d'une chambre, chose très appréciable pour moi qui ai toujours aimé la solitude.

Si je n'ai pas connu mes deux grands-pères morts pendant ma petite enfance, en revanche, je voyais souvent mes grand-mères. La tradition veut qu'en Chine les enfants passent plus de temps chez leur grand-mère paternelle, mais, étant donné que nous vivions auprès de la famille de ma mère, j'ai grandi sans savoir que la branche maternelle de la famille avait un statut inférieur. Mes grand-mères vivaient non loin l'une de l'autre, et je dois avouer que je rendais visite à celle qui était susceptible de m'offrir le plus de friandises.

Tandis que mes préoccupations se limitaient à la manière la plus rapide d'obtenir des bonbons, le monde au-delà de notre périmètre quotidien était à feu et à sang. La première tentative de démocratie en Chine avait échoué avant ma naissance, et Shanghai était le théâtre de combats acharnés entre les groupes qui luttaient pour en prendre le contrôle. Mes parents et leurs amis commentaient sans cesse les événements, mais j'étais trop jeune pour comprendre ce dont il s'agissait.

La Chine était alors pratiquement dirigée par les seigneurs de la guerre qui profitaient de la naïveté de Sun Yat-sen, président de la République chinoise pour une très brève période. Symbole vivant de la démocratie en Chine et révolutionnaire à l'âme généreuse, Sun passait la plupart de son temps en Europe et aux Etats-Unis pour essayer de rallier ces pays à sa cause. Ainsi lorsque la révolution éclata en 1911, Sun se trouvait aux Etats-Unis. Lui et ses partisans se souciaient peu de problèmes basse-ment matériels et, pendant qu'ils discouraient sur les grands principes démocratiques, les seigneurs de la guerre morcelaient le pays en royaumes distincts qu'ils pouvaient diriger.

Pour les Chinois émergeant de dizaines d'années de sujétion à une dynastie décadente, l'idée de démocratie — à savoir qu'un individu peut choisir ses propres dirigeants et s'élever selon ses mérites et son énergie — pouvait se comparer à la lumière qui aveugle un homme sortant d'une grotte. Des êtres comme Sun Yat-sen étaient si grisés par la noblesse de leur mission qu'ils constituaient une proie aisée pour les seigneurs de la guerre ; très vite, ceux-ci se rendirent compte du vide créé par la chute du gouvernement impérial mandchou. Leurs rivalités provo-quèrent la famine dans les campagnes et des luttes san-glantes dans les villes.

Le Parti nationaliste (ou Kuomintang) complotait, agis-sait et se battait pour devenir le principal mouvement politique chinois. C'est lui qui finit par soumettre ou démettre les seigneurs de la guerre, mais même après cela, les purges et les luttes pour le pouvoir se poursuivirent.

Bien que la plupart des Américains pensent que Tchiang Kai-chek s'est servi du Kuomintang dans son long combat contre les communistes, dans les années 1920, les alliances politiques étaient aussi confuses que la situation et, pendant quelque temps, communistes et membres du Kuomintang avaient même été alliés. En fait, Tchiang était assisté de conseillers soviétiques quand, en 1926 lors de son expédition dans le nord, il vainquit enfin les seigneurs de la guerre.

N'ayant plus besoin des communistes après cette victoire, Tchiang se tourna en avril 1927 vers les banquiers et les négociants de Shanghai avec lesquels il signa un accord secret. Il se servit de bandes locales clandestines — ses alliés — pour faire arrêter et exécuter les membres du parti communiste de la ville. Ce sont des épisodes de ce genre qui font que l'on appelle cette période l'époque des troubles.

Si certains Chinois lettrés la comparent à la Renaissance en Europe, la vie que, dans leur majorité, les pauvres menèrent relève davantage du haut Moyen-Age qui, pour les Européens, appartient à l'histoire ancienne. L'époque des troubles a terriblement marqué la mémoire de ceux qui l'ont vécue.

Nous nous étions installés à Kun San en 1926, soit un an avant l'arrivée à Shanghai de l'expédition nordique, mais ses effets se firent sentir jusque-là. Au cours de la scission sanglante entre les nationalistes et les communistes, mes parents abritèrent un de mes oncles qui avait quelque temps professé des idées de gauche. Je n'arrivais pas à comprendre quel crime il avait commis, mais sa peur en disait long sur la terreur régnant en dehors de notre petite ville. Il resta caché chez nous, à Kun San, pendant six mois, jusqu'à ce que le danger soit passé. S'il avait été pris, il aurait certainement connu le sort des autres militants de gauche et aurait été fusillé, décapité ou étranglé.

Pour des raisons étrangères à la politique, notre installation à Kun San eut des conséquences importantes pour moi. En 1926, j'étais en âge d'être scolarisé, mais l'école privée dans laquelle travaillait mon père ne comprenait ni maternelle, ni cours préparatoire ni cours élémentaire.

J'entrai donc directement au cours moyen avec deux ans d'avance, avance que je conservai pendant le reste de mes études en Chine, ce qui n'alla pas sans me causer certains désagréments avec mes condisciples plus âgés. Cependant, cette situation présentait quelque avantage, un peu comme quand on vous jette à l'eau sans que vous sachiez nager : ou bien, vous apprenez à nager — et vite — ou bien, vous coulez. L'expérience peut ne pas être agréable, mais on en retire une relative confiance dans sa capacité à se débrouiller en cas de difficultés. Je n'avais pas choisi de me retrouver au cours moyen à l'âge de six ans, mais je m'aperçus qu'avec de la combativité, je pouvais assumer à la fois le travail scolaire demandé et les pressions sociales auxquelles je devais faire face.

Lorsque l'on est jeune et placé dans des circonstances exceptionnelles, presque chaque événement prend une signification particulière. Je me souviens qu'un jour où je rentrais de l'école, je vis par terre un nid d'oiseau dans lequel piaillait un bébé moineau. Je ramassai le nid avec le petit oiseau pour l'emporter chez moi. Légèrement inquiet de la réaction de mes parents, je décidai de laisser le nid dehors et d'attendre un peu, avant de leur en parler. A six ans, j'ignorais les relations existant entre les chats et les oiseaux, aussi, lorsque je ressortis de chez moi, quel ne fut pas mon étonnement de voir le nid vide. J'avais beau ne rien savoir sur les chats, je compris que le fait d'avoir tardé à mettre l'oiseau à l'abri dans la maison avait causé la mort de la pauvre bête. Ce fut ma première leçon : mieux vaut agir qu'hésiter.

Très tôt, je m'aperçus que j'étais bon en mathématiques. Je découvris que la solution des problèmes me venait si j'y pensais suffisamment longtemps et fort. Un souvenir embarrassant me revient à l'esprit ; après un examen, alors que je devais avoir 10 ans, le professeur d'arithmétique prit ma copie ainsi que celle d'un autre élève et s'adressa à ce dernier : « Regarde, ce garçon a deux ans de moins que toi et pourtant, il obtient presque 100, alors que ta note pourrait se compter sur les doigts d'une main ». Inutile de dire que ce genre de remarque ne vous rend pas très populaire auprès de vos camarades, plus grands et plus âgés.

Si je n'éprouvais pas de difficulté avec les mathématiques, il en allait tout autrement avec l'histoire, la géographie et les matières qu'il fallait apprendre par cœur. Les disciplines elles-mêmes n'étaient pas en cause, mais plutôt la façon assommante dont on nous les enseignait. Alors que j'ai toujours été parfaitement capable de me concentrer sur ce qui m'intéresse, aujourd'hui encore, il m'est très difficile de le faire sur des sujets — les doctrines politiques, par exemple — qui m'ennuient.

A l'exception de l'importance accordée à l'histoire et à la civilisation chinoises, ma scolarité ressemblait sans doute assez à celle d'un petit Américain de l'époque. Ces années me donnèrent des bases solides pour les matières plus sophistiquées que j'allais étudier plus tard. En plus de l'histoire et des mathématiques, j'apprenais aussi l'anglais, matière obligatoire dès la quatrième année d'école. Aucun problème de ce côté-là : mon père qui enseignait cette langue avait commencé à m'en inculquer l'alphabet quand j'avais à peine quatre ans.

Du fait que moins d'enfants fréquentent l'école en Chine qu'aux Etats-Unis, je pense que les Chinois accordent une plus grande valeur à l'enseignement primaire que les Américains. Je suis d'ailleurs toujours surpris de voir le peu de respect dont la communauté universitaire et les gens en général font preuve à l'égard des instituteurs.

De son côté, ma grand-mère paternelle m'initiait à la littérature et à la philosophie chinoises. Au début, les textes entraient par une oreille et sortaient par l'autre ; je m'intéressais davantage aux bonbons qui ponctuaient la fin de la leçon. Mais ma grand-mère se montra aussi persévérante avec moi qu'elle l'avait été avec mon père, et je finis par en retenir l'essentiel. Ce fut pendant ces heures passées auprès d'elle que j'appris ce qu'était le confucianisme, cette philosophie qui a si profondément marqué les Chinois.

En deux mille cinq cents ans, le confucianisme a connu bon nombre de développements — certains apparemment contradictoires — mais il reste essentiellement une combinaison de règles d'or, de notions de modération et d'équilibre. Périodiquement, cette philosophie perd de son influence, comme par exemple pendant l'époque des troubles ; ce cycle s'est répété dans toute l'histoire de la Chine : à une longue période de régime bureaucratique stable succède une période révolutionnaire défiant la sagesse conventionnelle. Les idées de Confucius dominent pendant la première période et déclinent pendant la seconde ; toutefois, même Mao Tse-tung n'a pas réussi à débarrasser la Chine du confucianisme, trop profondément ancré dans l'âme chinoise.

Grâce à ma grand-mère, il est également profondément ancré en moi. Plusieurs des qualités que j'estime importantes pour réussir en affaires — modération, patience, équilibre et simplicité — sont prônées par Confucius, et, comme lui, je crois que se mettre au service d'une communauté apporte un sentiment de satisfaction.

A la fin de ma scolarité primaire, il fallut décider si je devais passer le concours d'entrée en secondaire ou attendre un an, afin de diminuer la différence d'âge me séparant de mes camarades. Mais, même admis, les frais d'études restaient à la charge des parents. Je me souviens que, pour le premier semestre, cela coûtait dix dollars en argent,

30

somme considérable pour une famille chinoise dans les années 1930. Il n'existait que deux établissements d'enseignement secondaire à Kun San pour répondre aux besoins du district, soit une population globale d'environ deux cent mille habitants. Leur capacité annuelle d'accueil se situait entre cinquante et cent étudiants. Mes notes dans les matières non scientifiques n'étant pas fameuses — en fait, ma moyenne générale était médiocre — mes parents me conseillèrent d'attendre un an avant de passer le concours.

Mais comme je ne voulais pour rien au monde redoubler ma classe, je décidai de passer outre et de me présenter à l'examen. Au vu des résultats, il s'avéra que j'avais obtenu les meilleures notes de la session. Ravis de mon succès, mes parents pardonnèrent aussitôt ma désobéissance. Mon père n'était pas homme à se répandre en compliments, mais j'interprétai son empressement à payer les frais de scolarité comme une marque de grande tendresse.

Il ne s'agissait là que d'un petit succès, mais ma confiance en moi en ressortit renforcée. Malgré mes notes et mon âge, j'avais été persuadé que je pourrais réussir et j'avais eu raison ; ceci m'incita à croire que je réussirai encore dans des circonstances analogues.

Une fois en secondaire, j'obtins également des résultats médiocres dans les disciplines littéraires. J'avais retrouvé mes mauvaises habitudes qui consistaient à passer plus de temps à jouer dehors qu'à faire mes devoirs. A l'examen de fin d'année, je fus recalé dans plusieurs matières et il apparut que mon bonheur serait de courte durée. Mais, comme j'avais eu des notes exceptionnelles en mathématiques, on m'autorisa à suivre des cours pendant l'été et à me représenter à la session d'automne où je fus reçu de justesse. Ce processus se reproduisit plusieurs fois. Malgré ma paresse, je finissais toujours par me débrouiller aux examens.

Même si certains cours de littérature m'ennuyaient, j'aimais la lecture. Kun San possédait une petite bibliothèque, où je me rendais souvent l'après-midi pour lire. Tout m'intéressait, mais surtout les sciences, en particulier la physique et les mathématiques. Je lus des ouvrages sur Léonard de Vinci, Galilée et bien d'autres savants occidentaux. Je me souviens avoir été très impressionné par une biographie d'Isaac Newton, dans laquelle l'auteur racontait comment il avait découvert la gravité. Voilà quelqu'un qui avait été capable de rejeter la sagesse conventionnelle et de voir ce que personne n'avait pu voir, alors que ce qu'il constatait — la gravité — constituait une évidence flagrante. J'aimais cette possibilité de douter de principes généralement acceptés sans discussion. Kun San n'avait, certes, rien d'une ville cosmopolite — je crois qu'à l'époque n'y vivaient que des Chinois — mais, grâce à la lecture, j'ai appris beaucoup de choses sur le monde qui s'étendait au-delà de ma ville et de la Chine.

Au début des années 1930, c'est-à-dire pendant que je fréquentais le collège, le gouvernement nationaliste maîtrisait la situation, mais tout juste. Des émeutes et des escarmouches éclataient encore ici ou là, et chaque fois qu'une bonne nouvelle était annoncée sur le plan intérieur, elle était éclipsée par l'annonce de mouvements inquiétants des troupes japonaises qui guettaient la Chine comme un chat guette un poisson oublié sur une table. En 1931, et alors que la Chine et le Japon n'étaient pas encore en guerre, les Japonais occupèrent la Mandchourie et bombardèrent à plusieurs reprises Shanghai.

Très vite, le Japon devint le principal sujet de conversation. Tandis que les journaux dénonçaient les intrigues des

Japonais, des politiciens se rendaient dans les écoles et les lycées pour prononcer des discours qu'on nous obligeait à écouter. Nous devions aussi participer à des manifestations de masse contre les Japonais, et parfois contre les Anglais. Entre huit et douze ans, je dus participer à environ cinq manifestations par an. A écouter ces discours censés nous enflammer, j'en vins rapidement à être dégoûté de la politique. Plus l'orateur était éloquent, plus il me semblait évident qu'il ne mettrait pas en pratique ce qu'il promettait. Ces réunions obligatoires me détournèrent à jamais de toute activité politique.

Les sujets d'excitation, cependant, ne manquaient pas. Au collège, je fondai un journal, première intrusion dans le domaine typographique. Cette publication cessa au bout de deux numéros, mais me familiarisa avec les problèmes éditoriaux. Une vingtaine d'années plus tard, mon intérêt précoce pour la typographie et l'édition refit surface.

A treize ans, j'entrai au lycée provincial de Shanghai, situé non loin de la maison de ma grand-mère. Il jouissait d'une excellente réputation dans toute la Chine. En fait, le proviseur avait passé sa thèse à l'université de Columbia aux Etats-Unis sous l'autorité du célèbre professeur américain, John Dewey. Nous utilisions au lycée les mêmes manuels d'algèbre que ceux en usage dans les universités américaines pour les étudiants de première année de licence. Mes livres d'histoire et de géographie étaient également rédigés en anglais, ce qui fit qu'à mon peu d'intérêt pour apprendre par cœur les noms et les dates s'ajouta la difficulté de le faire dans cette langue.

Peu de temps après la rentrée, le lycée déménagea à une vingtaine de kilomètres de Shanghai. Je fus donc pensionnaire et vécus loin de ma famille. Nos journées se déroulaient selon un emploi du temps très strict : fin des cours à

16 heures, deux heures d'étude après le repas et extinction des feux à 21 heures. Même si cette routine ne me plaisait pas particulièrement, l'utilisation de manuels en anglais devait faciliter mon intégration ultérieure aux Etats-Unis.

Mon jeune âge eut une incidence sur mes activités sportives. Beaucoup plus petit que mes condisciples, je ne pouvais faire partie d'aucune équipe (même s'il m'arriva de servir de goal — plus exactement, de cible — au football). Je m'aperçus, cependant, que je pouvais pratiquer des sports individuels où la taille importait peu, le ping-pong par exemple. Quelques années plus tard, je fus sélectionné pour jouer dans l'équipe universitaire.

A seize ans, après avoir passé avec succès l'examen de fin d'études, je m'inscrivis à l'université Chiao Tung de Shanghai, l'institut polytechnique le plus prestigieux de toute la Chine, l'équivalent du MIT américain. Comme j'avais obtenu les meilleures notes à l'examen d'entrée, je fus nommé président de ma promotion, charge que j'occupai pendant quatre ans. J'étudiais l'électrotechnique et ses applications dans le domaine des communications. J'aimais cette discipline parce qu'elle comprenait des applications pratiques de mathématiques et de physique, mes matières favorites. A vrai dire, je passais plus de temps à faire des tournois de ping-pong et à y perfectionner mon style qu'à étudier. Mais je n'étais pas pour cela oisif.

Entre autres travaux, j'étais chargé de compiler des articles de vulgarisation scientifique choisis dans des revues américaines comme *Popular Mechanics* ou *Popular Science* et de les traduire en chinois. Si ces lectures pouvaient sembler normales à un étudiant américain, en Chine, c'était une pratique tout à fait inusitée il y a à peine deux générations. Bien que je n'aie jamais fait de politique, un grand nombre de mes meilleurs professeurs ont pris une part active au combat mené pour transformer la

34

Chine en un pays moderne, et leur attirance pour la démocratie occidentale et la science m'a certainement marqué. Leur but n'était nullement de supprimer la culture chinoise, mais d'ouvrir le pays aux idées et aux technologies nouvelles. Ils essayaient de montrer que le monde au-delà de nos frontières pouvait nous apprendre quelque chose. Ce fut le côté positif de cette époque des troubles.

Au cours de ma première année à l'université, les principaux sujets de conversation tournaient autour du Japon et de l'efficacité des nationalistes à le combattre. Après avoir annexé la Mandchourie en 1931, le Japon devenait de plus en plus agressif envers la Chine, dont la puissance militaire était loin d'égaler la sienne. Tchiang menait une politique fluctuante, faisant tantôt preuve d'esprit de conciliation tantôt de fermeté. Il fut kidnappé et assigné à résidence à Xian pendant quelques jours par un de ses propres généraux conscient des dangers que cette politique faisait courir à la Chine.

Peu de temps après l'annonce de l'enlèvement de Tchiang, je reçus des nouvelles encore plus dramatiques de Kun San. Usée par toutes ces années de peur et de guerre, par les émeutes et les bombardements japonais, ma mère, dont la santé avait décliné rapidement au cours des dernières années, venait de mourir, victime de l'époque.

Après s'être livré à des actes belliqueux contre la Chine pratiquement tout au long des années 1930-1937, le Japon occupa Pékin en 1937, et entreprit sa marche vers le sud. Il lança une autre attaque à partir de Shanghai, afin de faire route à l'ouest vers Nankin, la capitale.

Shanghai se composait alors d'une grande ville chinoise et de ce que nous appelions les concessions : territoire d'une quinzaine de kilomètres carrés divisé en deux grandes zones, la Concession internationale gouvernée par les

Britanniques, les Américains et d'autres partenaires étrangers, et la Concession française. La Chine avait été contrainte d'accorder ces concessions aux puissances occidentales après la première guerre de l'opium (1839-1842). Bien que situées sur le sol chinois, ces concessions étaient considérées comme territoire étranger, c'est-à-dire qu'un Chinois était un étranger dans sa propre ville et soumis aux règlements appliqués par la puissance occupante. Lorsque la guerre éclata à Shanghai, le statut humiliant de ces concessions apparut comme une sorte de bénédiction.

En 1937, à la fin de ma première année d'université, je partis à Kun San pour les vacances d'été. La guerre menaçait déjà et, en juillet, alors que je n'avais passé que quelques semaines chez moi, je me rendis compte que si je ne rentrais pas rapidement à Shanghai, je ne pourrais plus le faire. Mon père approuva pleinement ma décision. J'avais eu raison de me fier à mon instinct, car la marche sanglante sur Nankin commença deux semaines après l'occupation de Shanghai en août 1937. L'université Chiao Tung se trouvait en dehors des concessions, mais après l'invasion japonaise, le gouvernement décida, par mesure de sécurité, de la déplacer à l'intérieur de la Concession française. Pendant les premières années de la guerre, les Japonais respectèrent l'intégrité territoriale des concessions de manière à ne pas inciter les Américains (les Français ou les Britanniques) à entrer dans le conflit.

Sur les trente étudiants de ma classe, quinze seulement regagnèrent l'université à temps. Les autres en furent empêchés par les troupes japonaises, mais la plupart d'entre eux réussirent à nous rejoindre dans le courant de l'année.

La guerre faisait rage alentour, mais pas à l'intérieur du petit périmètre dans lequel je passai les trois années suivantes. De temps en temps, nous entendions les bombes japonaises siffler au-dessus de nos têtes, mais la guerre qui se déroulait à proximité ne nous touchait pas, ce qui changeait tout. On ne pouvait s'aventurer au dehors sans s'exposer à tomber entre les mains des Japonais, cependant, cette enclave était suffisamment grande pour que l'on n'ait pas le sentiment d'être enfermé.

Vivant dans la zone internationale, j'étais parfaitement informé de l'évolution de la guerre, et surtout des atrocités que les Japonais commettaient. Dans les années 1920, différentes factions chinoises rivales s'étaient affrontées, mais la présence d'un ennemi extérieur commun les avaient réconciliées. Balayant tout sur leur passage, les dix divisions japonaises ne firent qu'une bouchée de cette opposition désorganisée. A Nankin, que Tchiang leur avait abandonnée, les Japonais massacrèrent 300 000 personnes, faisant ainsi bien plus de victimes que les bombardements atomiques américains de Hiroshima et de Nagasaki.

Mais on n'avait pas encore atteint le comble de l'horreur. Les Japonais dépensèrent beaucoup d'énergie à inventer les formes les plus sadiques de torture et d'assassinat. Une de leurs méthodes consistait à enterrer les victimes jusqu'au cou et à verser sur leur tête de l'eau bouillante. Après la fin de toute résistance, la mise à sac de la ville dura encore deux mois. Il fut plus tard établi que les odieuses variantes que les soldats avaient imaginées pour pallier la monotonie des exécutions de masse étaient le fait non pas d'excès commis par quelques soudards, mais d'une décision politique, destinée à infliger le maximum de souffrances et d'humiliations à la population.

Si nous vivions en relative sécurité à l'intérieur des concessions, nous entendions chaque jour des récits d'atrocités et étions très inquiets pour nos familles. Abandonnés par nos armées, nous étions impuissants devant ces massacres. Aussi, éprouvai-je un incroyable sentiment de joie et de soulagement, en apprenant que ma famille avait réussi à quitter Kun San et à se réfugier dans l'une des concessions.

Par une ironie de l'histoire, le sort des Chinois à l'intérieur de ces concessions était lié à la guerre se déroulant en Europe. Des mauvaises nouvelles sur le front occidental l'étaient aussi pour nous, parce que, à chaque victoire nazie, les Japonais s'immiscaient davantage dans la zone internationale de Shanghai. Après l'armistice de 1940 en France et l'installation du gouvernement à Vichy, les Français ne purent plus s'opposer aux exigences des Japonais qui réclamaient le droit d'exercer une autorité sans cesse accrue sur leur concession. De son côté, Churchill, gêné en Angleterre par le Blitzkrieg, ne pouvait pas réagir avec vigueur contre les incursions japonaises en territoire britannique. En fait, malgré son opposition à toute tentative de paix en Europe, Churchill adopta au début une attitude conciliante envers les Japonais.

Le contrôle des concessions françaises par les Japonais coûta à l'armée chinoise l'une de ses principales routes de ravitaillement. Bientôt, il ne lui resta plus que la route de Birmanie, sous contrôle britannique. Juste après Dunkerque, Churchill tendit un rameau d'olivier aux Japonais en en acceptant la fermeture. Une chose que j'ai toujours admirée chez le président Franklin D. Roosevelt a été sa constance au regard de l'aide américaine accordée à la Chine, même avant Pearl Harbor.

Après avoir fini mes études à Chiao Tung en 1940, je restai un an de plus dans cette université comme assistant au département d'électrotechnique. Mais il devenait évident que les Japonais allaient prendre le contrôle complet de la ville et j'éprouvais alors la nécessité d'appporter ma contribution à l'effort de guerre. Pendant l'été 1941, je participai avec huit condisciples à un projet susceptible d'utiliser au mieux nos connaissances : la conception et la construction de postes émetteurs et récepteurs destinés aux troupes gouvernementales. Commandé par la Central Radio Corporation, société installée à l'intérieur de la Chine, ce travail s'effectuait à l'université, qui comptait parmi ses anciens élèves quelques-uns des plus grands industriels chinois. Cet engagement volontaire fut pour moi un choix heureux : en effet, quelques mois plus tard, le Japon bombardait Pearl Harbor et il n'exista plus désormais aucun refuge sûr à Shanghai ni pour les Chinois ni pour les étrangers.

Mes camarades et moi nous rendîmes en bateau de Shanghai à Hong Kong. Une fois là, on nous donna l'ordre de partir par nos propres moyens pour Kweilin, située loin à l'intérieur des terres. Il nous fallut gagner Kuang-chou-wan, une concession française située à plusieurs centaines de kilomètres de Shanghai. Dans cette péninsule proche de la mer Jaune, les lignes japonaises n'étaient pas très profondes. Notre groupe les franchit de nuit. Au bout de trois jours de marche, nous fûmes suffisamment en sécurité pour poursuivre notre route sans nous cacher. Après un voyage en bateau et en train, nous atteignîmes enfin Kweilin.

Je me mis au travail dès mon arrivée. On me donna la responsabilité d'un groupe chargé de concevoir du matériel de guerre radio. J'avais alors à peine vingt-et-un ans. Bien que sous les ordres de militaires, je ne menais pas une vie de soldat. Notre travail consistait essentiellement à accomplir des prouesses avec des bouts de ficelle, mais comme nous débutions, nous vivions dans l'excitation. Nous étions informés des découvertes technologiques alliées grâce aux articles qui nous parvenaient avec le courrier par des avions loués en prêt-bail, notre seul lien avec le monde extérieur. Nous ne savions jamais à l'avance quels éléments radios étaient disponibles ni quand des composants d'une importance capitale viendraient à manquer. Par exemple, nous dûmes inventer de toutes pièces puis construire un générateur manuel pour faire marcher un émetteur radio mobile indispensable à l'armée. Comme plusieurs personnes différentes devaient actionner les manivelles chargées de fournir au générateur l'énergie à des régimes variés, il nous fallut également imaginer un moyen destiné à vérifier la constance du voltage, quelle que soit la vitesse avec laquelle les manivelles étaient manipulées. Nous avons eu ainsi l'occasion d'improviser et de faire appel à toutes sortes d'astuces, essentielles pour la mise au point d'un nouvel appareil.

Malgré l'atmosphère enfiévrée de notre travail, nous n'oubliions jamais la guerre, d'autant que nous subissions un ou deux bombardements par semaine ; du fait de notre importance capitale pour l'armée chinoise, nous constituions une cible favorite. Dès que les bombardiers apparaissaient dans le ciel, les sentinelles sonnaient l'alarme et nous abandonnions aussitôt notre travail pour nous réfugier dans des grottes situées dans les montagnes toutes proches. Inquiétantes au début, ces grottes très profondes nous parurent rapidement invulnérables. Tandis que les bombes tombaient alentour, nous passions notre temps à jouer aux cartes à l'abri, de préférence au bridge-contrat avec les autres membres du groupe, également d'anciens étudiants.

Bien que je n'en aie été informé que beaucoup plus tard, mon père mourut peu après mon engagement dans l'armée. J'ignore exactement dans quelles circonstances, mais je sais que c'était du fait de la guerre. Il y eut tellement de victimes qu'il devenait parfois impossible de reconstituer ce qui s'était réellement passé. Je me retrouvai donc orphelin. Mariée en 1941, ma sœur aînée vivait chez ses beaux-parents, mes frères cadets et ma plus jeune sœur avaient été recueillis par des parents. Heureusement, à l'exception de Hsu, ils survécurent tous à la guerre, mais je ne devais les revoir que quarante ans plus tard.

Vivant pour la première fois à l'intérieur du pays, je pus me rendre compte de la tyrannie que les généraux chinois exerçaient sur les paysans. La région de Kweilin était déjà pauvre et, malgré la guerre, les officiers et les dignitaires provinciaux pressuraient le peuple jusqu'à l'affamer. Plus la guerre se prolongeait, plus la discipline militaire se relâchait, plus les officiers maltraitaient le peuple. Après les atrocités commises par les Japonais, il était encore plus démoralisant de voir le traitement que les Chinois recevaient de soldats censés les protéger.

Si les fonctionnaires ne réussissaient pas à prélever par impôt ou par loyer la somme qu'ils réclamaient, ils exigeaient le paiement anticipé des impôts à venir. De leur côté, les généraux gonflaient leurs effectifs afin d'obtenir davantage de nourriture et de matériel. Lorsqu'on leur demandait de justifier ces effectifs, ils enrôlaient des paysans sans les nourrir ni les vêtir. Encerclées par les Japonais, les malheureuses victimes ne savaient pas comment fuir leurs soi-disant protecteurs. J'étais outré, et je comprenais que ces généraux n'étaient que des opportunistes qui, en l'absence de toute autorité centrale puissante, usaient de leur pouvoir pour se remplir les poches.

Cette corruption entraîna une grande démoralisation qui finit par se retourner contre eux, lorsqu'ils voulurent rallier le peuple pour vaincre les communistes. Leur cupidité les priva de tout soutien populaire au moment où, quelques années plus tard, ils en eurent vraiment besoin. Même les paysans pourtant méfiants à l'égard du communisme refusèrent de lever le petit doigt pour aider leurs anciens oppresseurs. Ce n'était que justice, puisque les nationalistes n'avaient pas envoyé leurs meilleures troupes se battre contre les Japonais, afin de pouvoir préparer la guerre civile contre l'Armée Rouge. Les généraux n'avaient pas su voir que, devant la carence du pouvoir gouvernemental, leur intérêt à long terme aurait été de se comporter plus dignement.

Pendant les trois années suivantes, dans mon usine, le travail fut ponctué par des bombardements. Les forces japonaises se trouvaient entre 80 et 160 kilomètres de chez nous. Kweilin tomba fin 1944. Peu avant, nous avions été évacués à Chungking où je passai la dernière année de la guerre. Une fois que les Alliés eurent traversé le Rhin pour entrer en Allemagne en mars 1945, la débâcle japonaise ne semblait plus être qu'une question de mois. Les forces américaines avaient atterri à Okinawa et les Japonais battaient en retraite.

Pendant mon séjour à Kweilin, j'avais entendu parler d'un projet consistant à envoyer les ingénieurs les plus doués du pays effectuer un stage aux Etats-Unis, afin de les préparer à reconstruire la Chine. Ce projet était parrainé par le gouvernement nationaliste et, en partie financé par les Américains. Les candidats devaient passer un concours. Au lycée et à l'université, à travers les articles techniques que j'avais lus, je m'étais familiarisé avec la haute technologie américaine. A présent, une occasion unique se présentait à moi de me rendre compte sur place de sa valeur. Je passai donc le concours et fus reçu deuxième. (Le premier était mon camarade T. L. Wu qui partit avec moi aux Etats-Unis, mais retourna par la suite en Chine, où il fut persécuté et exécuté pendant la Révolution culturelle.)

J'avais vécu à Shanghai, ville cosmopolite tournée vers l'Occident. Bien que je n'aie jamais quitté la Chine, je connaissais pas mal de choses sur les Etats-Unis et sur la société américaine. A Chiao Tung, nous avions utilisé des manuels américains, et j'avais été très impressionné par plusieurs films dont *Autant en emporte le vent*, ainsi que par quelques westerns avec Gary Cooper.

Plusieurs centaines de personnes dont quelques condisciples de Chiao Tung faisaient partie du voyage. Nous partîmes par groupes sur des DC3 qui empruntaient la route aérienne de l'Himalaya reliant la Chine à l'Inde. Ces avions-cargos repartaient aux Etats-Unis après avoir déposé du matériel loué en prêt-bail aux nationalistes stationnés à Chungking. Pour la plupart d'entre nous, c'était notre baptême de l'air et les circonstances du vol n'avaient rien de plaisant. Le DC3 — le légendaire « Gooney Bird » — vient de célébrer son cinquantième anniversaire. C'est toujours un avion d'une incroyable solidité. Plusieurs histoires circulent à propos de portions d'ailes ou de queues perdues en vol, sans que cela ait empêché l'appareil d'atterrir sans encombres. Notre départ eut lieu en avril 1945, alors que les Japonais continuaient à se manifester dans la région, aussi le vol fut-il quelque peu tendu. Je ne sus jamais si on nous avait tiré dessus ou non, mais j'appris par la suite que l'appareil n'était pas pressurisé, d'où nos troubles respiratoires lorsque nous avons pris de l'altitude pour survoler les pics de plus de 4 500 mètres.

Après avoir atterri à Ledo, au Nord-Est de l'Inde, nous prîmes un train jusqu'à Calcutta, où nous restâmes environ un mois à attendre que notre traversée en bateau soit organisée. J'avais déjà été témoin de l'extrême pauvreté dans mon pays et de la pénurie due à la guerre, mais la situation était pire encore à Calcutta.

L'itinéraire du navire de transport américain chargé de nous convoyer passait par le canal de Suez. Nous arrivâ-

mes là-bas quelques semaines après la reddition alle-
mande et notre bateau fut l'un des premiers à emprunter le
canal rendu à la navigation. Craignant de heurter un obstacle imprévu ou une mine, le capitaine avançait avec une
très grande prudence. Il nous fallut un mois pour traverser
l'océan Indien, la mer Rouge, le canal de Suez, la Méditer-
ranée et enfin l'Atlantique ; en juin 1945, nous débarquâ-
mes à Newport News en Virginie.

Une fois aux Etats-Unis, je n'avais aucune idée de ce
que j'allais faire durant mon séjour de deux ans. Mais
l'Amérique au moins ne présentait pas les dangers de la
Chine d'alors et je savais que je courais peu de risques d'y
recevoir une bombe. Je savais aussi que j'allais travailler
dans un domaine technique, que la science était univer-
selle et utilisait un langage que je connaissais, et que, pour
cela j'allais recevoir une allocation de cent dollars par
mois, suffisante pour vivre.

Avant même de partir pour les Etats-Unis, j'étais sûr
que je serais capable d'acquérir les compétences nécessaires pour me débrouiller. J'avais entendu parler de discrimination envers les Chinois, pourtant, j'arrivai dans ce
pays sans inquiétude sur ce que j'allais y faire. A cette
époque, l'idée qu'il y avait des choses que je ne pourrais ni
ne devrais essayer de faire m'était complètement étrangère.

2

Harvard

Je ne parviens jamais à persuader les Américains que je n'ai pas souffert du choc des cultures à mon arrivée aux Etats-Unis. On me dit que j'ai dû être confondu par tout ce qui différencie ce pays de la Chine : la richesse, les gens, voire même la nourriture. Non, c'est faux. Pour moi, les mœurs américaines étaient le produit de l'histoire du pays et non quelque chose de particulier ou de menaçant. Je recherchais les similitudes entre les deux cultures, et non les différences. J'étais très excité par le fait même de me trouver là, mais rien ne m'étonnait. A franchement parler, les Etats-Unis ressemblaient fort à la Chine.

Pourtant, de l'instant où je touchai le sol américain jusqu'au jour où, six ans plus tard, je fondai Wang Laboratories, rien ou presque ne se passa comme prévu. Venu aux Etats-Unis pour effectuer un stage de deux ans, je me retrouvai en train de préparer un doctorat à Harvard. Venu avec l'intention de retourner en Chine après mon stage, je suis resté en Amérique et ai contribué au développement de l'informatique. Lorsque je retrace les événements qui m'ont conduit à fonder Wang Laboratories, j'en reviens toujours à la conclusion que la chance a joué un rôle primordial dans ma vie. A cause de cela — et parce qu'elle m'a permis de survivre en Chine malgré les troubles — je considère qu'il faut tenir compte de la chance comme d'un facteur comme les autres de succès ou d'échec.

De Newport News, notre groupe d'ingénieurs et de scientifiques se rendit à Georgetown University, à Washington, D.C. Comme c'était l'été, les places ne manquaient pas dans les foyers universitaires, ce qui nous permit de nous y installer en attendant nos affectations. De sorte que mes premières semaines aux Etats-Unis se déroulèrent dans un campus, pas très différent de celui de l'université de Chiao Tung à Shanghai. Le moment était bien choisi : la guerre touchait à sa fin et tout le monde s'en réjouissait. Je visitai longuement la ville en m'intéressant surtout aux musées, en particulier la Smithsonian Institution.

Si aucun d'entre nous n'avait pris de contact avant notre départ de Chine, les grandes sociétés américaines avaient été prévenues de notre arrivée, aussi notre groupe se dispersa-t-il très vite, au fur et à mesure des affectations de stage. A l'époque, une bourse mensuelle de cent dollars suffisait à couvrir nos besoins essentiels. Plusieurs membres du groupe entrèrent chez Westinghouse et RCA. Tandis que j'attendais mon tour avec une anxiété croissante, il me vint tout à coup à l'esprit que j'apprendrais davantage en suivant des cours qu'en étant stagiaire. Bien qu'aucun d'entre nous ne l'ait encore fait, plus j'y pensais, plus cette idée me séduisait. Nous étions venus ici pour nous familiariser avec la technologie et avec l'industrie américaines, mais nous jouissions d'une totale liberté d'action. De plus, je savais que je travaillerais mieux en milieu universitaire.

Malheureusement, je n'avais emporté avec moi aucune attestation scolaire ni diplôme de Chiao Tung. J'adressai malgré tout une lettre à Harvard, demandant de m'inscrire au département de Physique appliquée. Deux professeurs de Chiao Tung, dont le directeur de la section d'ingénierie électrique, y avaient fait leurs études et m'en avaient vanté le haut niveau.

En temps normal, essayer de postuler pour Harvard sans fournir le moindre diplôme aurait été du dernier ridicule, mais là encore la chance me sourit : je m'inscrivis sans doute à la seule époque de l'histoire de Harvard où cela a été possible, c'est-à-dire pendant l'été 1945, alors que l'Allemagne s'était déjà rendue et que le Japon le ferait quelques semaines plus tard, le 14 août. La plupart des jeunes Américains étaient encore mobilisés, et même des universités aussi cotées que Harvard manquaient d'étudiants.

L'université de Chiao Tung jouissait d'une réputation internationale, et quelques-uns de ses étudiants étaient déjà venus travailler avec succès à Harvard. Il est possible aussi que le service des admissions connaissait l'existence de ce programme gouvernemental attribuant des bourses d'études à de jeunes ingénieurs chinois. Quoi qu'il en soit, je fus accepté ainsi que quelques autres camarades de Chiao Tung, également désireux de suivre des cours. Au moins pour nous, s'inscrire à Harvard fut plus aisé que trouver un stage dans l'industrie !

En septembre 1945, je m'installai à Perkins Hall, un foyer situé près de la faculté de droit. Je ne m'y sentis pas isolé car, outre des amis de Chiao Tung comme David K. Chung (qui m'avait précédé à Harvard et qui devint professeur de chimie à l'université de Syracuse), plusieurs autres Chinois étaient inscrits à Harvard dans divers départements.

Si je faisais encore des fautes en le parlant, en revanche, j'écrivais l'anglais très correctement. Au fil des années, je me mis à penser de plus en plus dans cette langue, ce qui m'évita de traduire constamment de l'anglais en chinois et de nouveau le chinois en anglais. Cependant, aujourd'hui encore, il m'arrive de penser en chinois ; pour le calcul mental par exemple. Cela tient sans doute au fait qu'enfant j'étais très fort en multiplications et qu'en chinois, les nombres s'expriment par des mots d'une syllabe, d'où une simplification des opérations.

Ces dernières années, j'ai remarqué qu'un nombre croissant d'ingénieurs chinois venus aux Etats-Unis ont du mal à s'adapter à la terminologie scientifique occidentale. Pour ma part, je n'ai jamais connu ce problème, puisque, comme je l'ai déjà expliqué, j'utilisais déjà des manuels américains au lycée. S'il est certainement plus facile pour des Chinois d'étudier les sciences dans leur langue maternelle, cela devient un handicap plus tard, lorsqu'ils poursuivent des études supérieures en Occident.

Je me sentais à mon aise à Harvard. Si, malgré les nombreux changements qui sont intervenus dans la première partie de ma vie, on voulait y trouver une constante, ce serait mon goût pour le milieu universitaire. Depuis mon enfance, un laboratoire a toujours représenté pour moi un second foyer. J'ai également eu le privilège de travailler avec quelques-uns des grands esprits de l'époque. Deux de mes professeurs — Edward Mills Purcell et Percy W. Brigman — ont reçu plus tard le prix Nobel pour leurs travaux effectués à Harvard.

Lorsque les cours commencèrent, je trouvai mes études relativement faciles ; en partie parce que j'avais passé cinq années à mettre en pratique mes connaissances livresques pour concevoir et fabriquer des appareils radio et du matériel de communication à partir de pièces dépareillées. Si un étudiant entré directement à l'université sans expérience préalable consacre beaucoup d'efforts à essayer de visualiser les applications des théories apprises, ceux d'entre nous déjà familiarisés avec la pratique vont directement au cœur du sujet.

A mon avis, un ingénieur devrait passer deux ans sur le terrain entre la licence et le doctorat. Après tout, l'ingénierie électrique est une science *appliquée* et la théorie doit, par conséquent, s'accompagner de pratique. Au bout de deux semestres, j'étais apte à préparer un Master (maîtrise) de physique appliquée. Au premier semestre, j'avais obtenu deux A+ et deux A. Cela apaisa les doutes que Harvard avait pu nourrir quant à mon niveau.

L'alternance études/application pratique a également développé chez moi une manière différente d'appréhender les problèmes d'électronique. Mon approche n'est ni purement analytique ni purement pratique. Je réfléchis à un problème jusqu'à ce qu'une solution se présente à mon esprit ; ensuite, j'essaye de la mettre en pratique. Depuis Kweilin, je m'efforce de n'utiliser les composants électriques qu'à bon escient, même lorsqu'ils sont bon marché et en abondance, et cela au nom des deux principes suivants : la solution la plus simple est toujours la meilleure ; moins il y a de composants, moins on court de risque de panne.

Certains inventeurs sont des bricoleurs nés qui adorent jouer toute la journée avec des composants électriques et installent un laboratoire chez eux, afin de pouvoir continuer à travailler tard le soir. Je ne suis pas de ceux-là. Si je réfléchis sérieusement à un problème, je me sers d'un bloc de papier et d'un crayon. Je ne suis bricoleur que lorsque les circonstances l'exigent, mais je n'ai pas besoin d'avoir devant moi le matériel pour vérifier mes idées. Je ne possède pas d'atelier chez moi, et je ne travaille pas trente-six heures d'affilée comme la plupart des « mordus ». Si une idée me vient le soir, j'attends le lendemain pour voir si elle est valable. Quand je n'arrive pas à résoudre d'emblée un problème, j'essaye de comprendre où je me suis trompé et, lorsque j'ai trouvé, je procède aux rectifications nécessaires. Les informations recueillies lors d'une approche erronée peuvent donner les clés de la bonne approche. J'adopte les mêmes principes en affaires.

A la fin de ma maîtrise en 1946, j'envisageais toujours de regagner la Chine à la date fixée. Cependant, ma bourse fut supprimée au bout de la première année, les nationalistes préférant utiliser l'argent pour lutter contre Mao Tse-tung. Alors que mes finances étaient presque à zéro, je reçus un coup de téléphone de W. K. Chow, un camarade de Chiao Tung, ancien de Harvard, pour qui j'avais travaillé pendant la guerre. Il dirigeait une mission au Canada chargée d'acheter du matériel pour le gouvernement chinois. J'acceptai son offre de collaboration à cette agence d'approvisionnement et partis pour Ottawa. J'étais chargé d'établir par écrit toutes les spécifications de l'équipement que le gouvernement chinois souhaitait commander. Je commençai en novembre 1946, date à laquelle ma bourse cessa complètement de m'être versée.

Dès le premier jour, je compris que j'avais commis une erreur. Non seulement, il s'agissait d'un travail ennuyeux et routinier mais, en plus, étant donné le froid qui régnait déjà en novembre, il était évident que l'hiver serait pire encore. Je décidai très vite de retourner à Harvard et de passer mon PhD (doctorat). En décembre, j'écrivis au professeur E. Leon Chaffee, directeur du département de Physique appliquée, pour lui demander l'autorisation de m'inscrire. Je le connaissais, car j'avais suivi son cours de physique et eu l'occasion de le rencontrer pour régler certains problèmes. C'était un homme avenant à l'esprit pratique que j'ai beaucoup apprécié.

Peut-être à cause de mes bons résultats en maîtrise, le

Dr Chaffee répondit sans tarder et par l'affirmative à ma lettre. Il accepta de me prendre dans son unité de recherche, d'être mon directeur de thèse et me proposa même un poste de chargé de cours avec un salaire annuel de mille dollars pour dix heures de travail hebdomadaire au laboratoire. En février 1947, je quittai donc l'ennui glacial d'Ottawa pour Cambridge (Mass.) où je m'installai dans une pension à sept dollars la semaine ; je repris le chemin de la faculté et suivis les cours obligatoires sanctionnés par un examen préludant à la préparation de la thèse.

Avant même de regagner Harvard, je m'étais promis que si je décidais de préparer un PhD, je ne perdrais pas de temps. Pour être honnête, je n'avais pas le choix : avec seulement mille dollars pour payer mes cours et mes frais, je joignais tout juste les deux bouts. Ma situation s'améliora en septembre 1947, après que le Dr. Chaffee m'eut fait obtenir une bourse, ce qui me permit de cesser d'enseigner pour me consacrer entièrement à mon programme de doctorat.

Cependant, même avec cette aide, mes moyens financiers me contraignaient à aller vite. En mai, je choisis mon sujet : les mécaniques non linéaires. Je me proposai d'utiliser des équations différentielles non linéaires pour développer une méthode mathématique permettant de calculer certains types de circuits électriques. Il s'agissait d'étudier l'oscillation simultanée de deux fréquences et ses conséquences non linéaires (lisez aléatoires) sur une masse. C'était l'un des rares problèmes que j'aie jamais approché sans me préoccuper de son application pratique, mon seul objectif étant de décrocher mon PhD. Pourtant, je m'y attaquai avec la même intensité que je mettais à résoudre n'importe quel problème.

Même si ma thèse ne comportait pas d'application pratique, la frustration d'avoir à étudier l'impact de différentes fréquences sur des corps non linéaires constituait une bonne préparation aux frustrations que j'allais éprouver en m'occupant de politique ou d'affaires — autres systèmes non linéaires poussés à l'extrême.

En raison de mes activités actuelles, beaucoup de gens sont persuadés que mon sujet portait sur l'informatique, alors qu'en réalité, il traitait de physique appliquée. En fait, à la fin des années 1940, l'informatique en était à ses premiers balbutiements et je ne pense pas qu'il y ait eu un seul doctorat dans cette discipline avant 1948.

Pourtant, à Harvard comme dans les autres universités, on s'intéressait déjà beaucoup au développement des calculateurs et, après ma thèse, j'y pris une part active. Jusque-là, je restai très à l'écart de ces projets dont la plupart étaient d'ailleurs top secret et commandés par l'armée. Bien que ma thèse n'eût aucun rapport avec les ordinateurs, je suivis des cours sur les circuits numériques électroniques qui, plus tard, seraient d'un intérêt vital pour mes inventions en matière d'ordinateur.

Le terme *circuit électronique numérique* concerne simplement les circuits électroniques qui n'ont que deux positions : marche ou arrêt. Dans les années 1940 où ces circuits commençaient à être développés, il n'existait aucun consensus sur la meilleure manière de les développer. Un jeu de ces circuits marche-arrêt peut reproduire électroniquement des nombres binaires — qui sont comme des nombres ordinaires, si ce n'est qu'au lieu de dix chiffres, il n'y en a que deux : 0 et 1. Dans un nombre binaire, le chiffre des dizaines représente des multiples de 2 et non de 10, celui des centaines des multiples de 4 (c'est-à-dire 2^2) et non de 100, etc. Par exemple : 3 s'écrira 11, 4, 100 ; 5, 101, etc. Cela semble bizarre, parce que nous avons l'habitude de compter à partir de nos dix doigts, mais le passage à une base de 2 permet de réunir le monde des mathématiques et celui de l'électricité. Si ces circuits électroniques numériques pouvaient reproduire les nombres binaires, se disait-on, ils pourraient aussi reproduire les opérations de l'algèbre de Boole (qui permet de manipuler des nombres binaires de la même manière que l'algèbre le fait avec les nombres conventionnels).

Quand j'ai commencé à m'intéresser à ces circuits, la recherche s'orientait vers des engins permettant des calculs à haute vitesse. L'électricité permet d'effectuer ce genre de calcul à une vitesse beaucoup plus grande que n'importe quel procédé mécanique. A l'ère des avions ultrasoniques et des missiles balistiques, les calculs rapides sont d'une importance cruciale au cours des combats aériens pour contrôler les tirs. Le radar — premier pôle d'intérêt de la recherche à Harvard — exige de tels calculs pour convertir le temps écoulé en distance. Vers la fin de la guerre, cette recherche reçut une nouvelle impulsion avec le développement de la bombe atomique qui nécessitait des calculs extrêmement complexes.

Alors que je préparais mon doctorat, ces matières ne m'intéressaient que dans la mesure où elles faisaient partie du cursus. La situation en Chine me préoccupait davantage. Au dîner et tard dans la nuit, je retrouvais les autres étudiants chinois de Harvard et nous nous réunissions dans l'une de nos chambres pour discuter de la guerre civile. Parfois, l'un de nous recevait des nouvelles de là-bas mais, en général, les informations provenaient de journaux tels que *The New York Times*. L'information étant alors très déformée j'essayais de lire entre les lignes, comme je l'avais déjà fait en Chine dans les années 1930. La plupart des journalistes parlaient des triomphes des nationalistes, mais je savais par le courrier reçu que les communistes étaient en train de gagner.

Dans notre groupe, les avis divergeaient sur l'issue de la

guerre. Il y avait les pro-nationalistes — en majorité — et les pro-communistes, moins nombreux et plus silencieux. Les uns répétaient qu'ils ne retourneraient pas en Chine si les communistes l'emportaient, et les autres si c'était les nationalistes. Entre ces extrêmes, il y avait quelques apolitiques — dont moi — qui doutaient de la capacité des nationalistes à conserver la confiance du peuple chinois et, donc, à gagner la guerre.

Ayant été témoin des excès commis par les dirigeants nationalistes, je ne pensais pas que le peuple, qui avait tant souffert à cause d'eux, tienne à les soutenir dans leur lutte contre les communistes — d'autant que ces derniers avaient vaillamment combattu les Japonais. Si je ne souhaitais nullement la victoire des communistes, je me disais qu'une sorte de coalition gouvernementale offrait le meilleur espoir pour la Chine. Sinon, il me semblait que rien de bon ne sortirait de cette guerre civile.

Le gouvernement nationaliste avait demandé que nous revenions en Chine dès la fin du stage, mais beaucoup d'entre nous préféraient attendre et voir comment les choses allaient évoluer. Sur la cinquantaine d'étudiants vivant dans la région de Cambridge, la moitié seulement regagna le pays.

Lorsque, trente-cinq ans plus tard, je retournai en Chine, je rencontrai quelques anciens camarades ; ils me racontèrent comme ils le purent ce qu'il était advenu de nos amis communs qui avaient accepté de rentrer : quelques-uns avaient occupé des postes importants au sein du gouvernement communiste, mais plus d'un étaient morts dans les années 1960, lors des purges de la Révolution culturelle.

Vers le milieu de 1947, il devint clair que les nationalistes allaient perdre et je commençai à envisager de rester aux Etats-Unis. Les nouvelles de Chine étaient très mauvaises : on faisait, une fois de plus, état de massacres. A présent que mes parents étaient morts et que d'autres membres de la famille s'occupaient de mes jeunes frères et de ma petite sœur, je n'avais plus grand chose à y faire. Je me connaissais suffisamment pour savoir que je ne pourrais pas supporter de vivre sous un régime totalitaire. De nature foncièrement indépendante, je voulais pouvoir continuer à prendre seul les décisions me concernant.

D'ailleurs, la préparation de mon doctorat ne laissait que peu de place aux états d'âme. Le programme comprenait, entre autres matières, une épreuve de français et d'allemand ; je suivis donc un cours accéléré de français pendant l'été et révisai l'allemand tout seul (je l'avais appris en Chine). Heureusement, pour un étudiant en sciences appliquées, ce niveau n'a rien de commun avec celui exigé pour un étudiant en littérature comparée. Je fus reçu de justesse. En automne, je m'inscrivis aux derniers cours obligatoires et, en janvier 1948, je passai avec succès l'examen général.

Sauf si l'on tient compte de la rapidité avec laquelle elle a été rédigée, je ne considère pas ma thèse comme une œuvre majeure. Elle n'a apporté aucune contribution fondamentale à l'ingénierie électrique et n'avait pas beaucoup de rapport avec mes inventions futures. J'avais choisi mon sujet en mai 1947, puis procédé à quelques expériences, et en septembre de la même année, j'avais commencé à écrire mes résultats. Je terminai la rédaction de ma thèse en décembre, la remis en février 1948 et finalement elle fut soutenue au printemps. Moins de seize mois après mon retour d'Ottawa, j'étais docteur de Harvard et titulaire d'un PhD en physique appliquée.

Si le contenu de ma thèse ne révolutionnait pas le domaine de l'ingénierie électrique, je me rendis très vite compte qu'être diplômé de Harvard pourrait avoir des effets très positifs sur ma carrière aux Etats-Unis — leçon que les Américains apprennent très tôt dans la vie. Au lieu d'être une quantité négligeable, j'avais maintenant l'imprimatur d'un PhD de Harvard. Cela s'avéra particulièrement important trois ans plus tard, lorsque je créai Wang Laboratories. Comme les technologies que je développais étaient nouvelles, les clients se sentaient un peu rassurés de savoir que cet étranger, propriétaire de la petite entreprise qui les démarchait, possédait un diplôme supérieur obtenu dans l'une des universités les plus prestigieuses du pays.

Cependant, une foule d'événements se déroulèrent avant que je prenne la décision de fonder mon entreprise. En fait, mon véritable travail de recherche à Harvard ne commença qu'après mon diplôme. Il se fit au laboratoire de Calcul, sous la direction de Howard Aiken, concepteur du Mark I et l'un des pionniers de l'informatique. Et c'est tout à fait par hasard que je participai activement à l'histoire de l'informatique.

Ce travail allait me permettre de fonder plus tard Wang Laboratories. Or, je dois tout cela à mon admission à Harvard et à mon acceptation par le Dr. Chaffee. Tout ceci grâce en fait à mon arrivée à point nommé aux Etats-Unis. Bien sûr, une fois inscrit à Harvard, j'ai dû travailler dur, mais je ne peux m'empêcher de penser que, sans la chance qui m'a permis de m'inscrire juste en temps voulu, je n'aurais peut-être rien fait de tout cela. C'est la raison pour laquelle j'estime que la chance constitue un facteur décisif dans le destin d'un individu. Comment quelqu'un qui a survécu à la guerre et à l'anarchie pourrait-il ne pas y croire ? En réalité, il est illusoire — et même dangereux — de penser que la vie est uniquement le produit de ses propres décisions et actions. Toute personne persuadée de contrôler entièrement son destin commet une erreur d'interprétation et se place dans des situations où son manque de clairvoyance peut lui coûter très cher.

3

Les mémoires à tores

En entrant au laboratoire de Calcul de Harvard au printemps de 1948, je ne me doutais guère que mon travail dans cette enceinte contribuerait au développement des ordinateurs et m'entraînerait à créer Wang Laboratories. Mes préoccupations étaient beaucoup plus matérielles : il me fallait gagner ma vie. J'avais pris contact avec la société Hughes Aircraft mais, découragé par la liasse de formulaires exigés pour l'enquête de sécurité, je décidai, avant de les remplir, de traverser le campus et d'aller voir si ce laboratoire de calcul dont on m'avait parlé était disposé à m'embaucher. Je n'accomplissais pas cette démarche parce que je m'intéressais aux calculateurs ; simplement, ce centre de recherche se trouvait à proximité et je pensai avoir les capacités nécessaires pour y travailler.

Après un entretien avec Howard Aiken et Benjamin Moore, j'adressai une demande d'attaché de recherche qui fut acceptée. Le 18 mai 1948 — je venais juste de commencer — le Dr. Aiken me donna un problème à résoudre concernant le stockage de l'information dans un ordinateur. Je m'escrimai pendant trois semaines avant que la solution ne s'impose. Avec le recul, elle semble évidente et je m'étonne que personne n'y ait songé avant moi, mais je dois reconnaître que je jouissais d'un avantage sur les autres : nouveau dans la maison, j'ignorais les tentatives précédentes et j'étais libre de spéculer à ma guise.

Lorsque je fis ma découverte, j'étais loin d'en imaginer l'importance. D'autres projets se poursuivaient au labo et le mien, s'il me procurait une immense satisfaction intellectuelle, ne semblait pas promis à un destin prestigieux. L'informatique (à l'époque, ce mot n'existait même pas, on parlait de système automatique de traitement de l'information) était une discipline toute récente. Il n'existait qu'un seul calculateur électronique en état de service aux Etats-Unis, un appareil énorme, encombrant et sans grand rapport avec les ordinateurs d'aujourd'hui. Notre tâche consistait à trouver toutes les améliorations permettant de faire de ces machines des outils utiles, convenant à tous. Elle ne comportait aucune garantie de succès.

Comme c'est souvent le cas, mon invention ne se détacha de l'ensemble des autres découvertes de l'époque que bien plus tard. Egalement inventés au cours de cette même période, le transistor et le laser, ces deux très importantes technologies, mirent très longtemps avant de s'imposer. Ceux d'entre nous qui, à la fin des années 1940, s'intéressaient aux calculateurs appréciaient, certes, de vivre dans cette ambiance de créativité, mais ne se doutaient guère qu'ils étaient en train d'écrire les premières lignes de l'histoire de l'informatique.

Le laboratoire de Calcul était l'un des nombreux centres consacrés au développement des calculateurs numériques aux Etats-Unis et en Grande-Bretagne dans les années 1940. Des chercheurs travaillaient sur les mêmes problèmes dans d'autres universités. Malgré leurs motivations personnelles, ils ne cherchaient ni à se spécialiser étroitement ni à garder jalousement leur domaine. Je suis persuadé que les échanges d'information alors de rigueur entre les laboratoires de ces deux pays et l'absence de secret d'Etat ont accéléré le rythme des découvertes. Peut-être cela explique-t-il que cette science se soit développée là plutôt qu'en Union soviétique, qui n'a pas bénéficié d'autant d'échanges.

Ces années-là ont sans doute constitué la période la plus fertile de l'histoire de l'informatique. Libérés du secret militaire qui les avait contraints à rester dans l'ombre pendant la seconde guerre mondiale, les chercheurs, pas encore tenus par l'enjeu économique, purent spéculer ouvertement sur ce que devait être et faire un ordinateur.

Pratiquement, chaque problème que nous rencontrions était fondamental. En 1945, les seuls calculateurs en usage dans le monde étaient des monstres électromécaniques. Non seulement, ils exigeaient une fastidieuse reprogrammation pour chaque opération mais, en outre, ils avaient une très faible capacité de mémoire et le traitement des données s'effectuait avec des circuits logiques dispersés. A peine dix ans plus tard, vers 1955, des dizaines d'appareils étaient en service. Dotés pour la plupart de la même structure que les ordinateurs d'aujourd'hui, ils pouvaient stocker à la fois les informations et les programmes déterminant leurs opérations. Les circuits logiques électroniques avaient été rassemblés dans des unités centrales (UC) qui constituent encore aujourd'hui le cœur des opérations. En fait, les décisions fondamentales prises à l'époque et relatives à leur structure restent à la base de la conception des ordinateurs.

Plusieurs de ces chercheurs sont entrés dans la légende ; parmi eux, Alan Turing et John von Neumann. Travaillant l'un et l'autre à leur compte, ils ont été les concepteurs de la structure de l'ordinateur. Avant même la construction des premiers appareils, Turing avait décrit les opérations que devrait faire cette machine, et démontré de manière logique la possibilité de construire un calculateur universel. De son côté, von Neumann a contribué au développement du concept de programme enregistré. Je citerai également John W. Mauchly et J. Presper Eckert, Jr., de la Moore School of Electrical Engineering de l'université de Pennsylvanie qui construisirent ensemble le premier ordinateur entièrement électronique ou ENIAC [Electronic Numerical Integrator and Calculator]. Plusieurs de ces pionniers sont passés au laboratoire de Harvard pendant que je m'y trouvais, mais je ne les ai jamais connus personnellement.

Le Dr. Aiken était lui aussi un pionnier. Vers la fin des années 1930, excédé par les calculs assommants qu'il devait effectuer pour terminer sa thèse de doctorat à Harvard, il s'était penché sur la question. Après avoir conçu un premier calculateur capable de résoudre des équations algébriques relativement complexes, il eut l'idée de construire une machine moins spécialisée, susceptible d'accomplir différents calculs selon les instructions qu'on lui fournirait, en d'autres termes, une machine qui pouvait être programmée.

Terminée en 1943, cette machine reçut d'abord le nom de Calculateur automatique à séquence contrôlée, puis surnommé Mark I. De taille impressionnante — 16 mètres de long sur 2,50 de haut — elle occupait pratiquement une pièce entière du laboratoire. Avec ses milliers de relais mécaniques, elle faisait un tel vacarme qu'elle rendait difficile toute conversation. Même si le Mark I ressemblait peu aux ordinateurs actuels, c'en était un, et qui plus est, le premier ordinateur binaire fonctionnant à l'électricité construit aux Etats-Unis.

On donne le nom de calculateur à tout instrument effectuant des calculs, qu'il s'agisse d'une règle à calcul, d'un boulier ou d'une machine à calculer. La règle à calcul est un calculateur analogique, car elle transforme les chiffres en mesures qui, à leur tour, sont manipulées pour faire les calculs. Le boulier et autres machines à calculer sont des exemples de calculateurs *numériques*. Au lieu de travailler avec des nombres transformés en mesures physiques, ils utilisent les nombres eux-mêmes.

Comme je l'ai déjà mentionné plus haut, la grande découverte qui allait permettre d'aboutir aux ordinateurs modernes a été de comprendre qu'en utilisant le système binaire, on pouvait, avec deux chiffres seulement, reproduire toutes les opérations mathématiques accomplies avec dix chiffres. Les calculs électriques exigent le système binaire : il n'est pas possible de représenter électriquement plus de deux chiffres, mais la présence ou l'absence d'une impulsion électrique peut permettre de représenter les deux chiffres — 1 et 0 — d'un système binaire.

Ni purement mécanique ni purement électrique, le Mark I du Dr Aiken était une combinaison des deux, une machine « électromécanique » qui créait ses instructions binaires par le truchement d'un vaste système d'interrupteurs téléphoniques très simples. Lorsqu'un électro-aimant est activé, il rapproche deux contacts électriques permettant au courant de circuler entre eux ; lorsqu'il ne l'est plus, un ressort de rappel sépare les contacts et empêche le courant de passer. Ainsi, lorsque le courant passe, l'interrupteur peut être lu comme le chiffre binaire 1 et quand les contacts sont séparés, l'interrupteur est dans son état « 0 ». Utilisant ces relais, Aiken et son équipe ont créé des circuits susceptibles d'accomplir chacun une fonction logique nécessaire pour calculer électroniquement. Ils ont construit un registre mémoire capable de conserver les nombres en réserve et de les extraire lors d'opérations. Ils ont également fabriqué une unité de contrôle chargée de diriger les opérations du calculateur qu'ils alimentaient à l'aide de bandes perforées — idée empruntée aux cartons perforés mis au point par Joseph-Marie Jacquard en 1801 pour les métiers à tisser.

Si le Mark I allait bien plus vite qu'une machine à calculer mécanique, il était cependant bien plus lent qu'un appareil purement électronique. Dans un ordinateur numérique, la vitesse dépend de la rapidité avec laquelle le circuit passe de « 1 » à « 0 ». Un relais peut effectuer cette opération en un centième de seconde. Dans un tube à vide, elle se déroule en un dix millionième de seconde. Il suffisait donc de trouver le moyen d'utiliser des tubes à vide plutôt que des relais pour multiplier par mille la vitesse d'exécution des opérations. En 1944, alors que le Mark I venait à peine d'être introduit sur le marché, Aiken travaillait déjà à la construction d'un calculateur électronique utilisant le tube à vide, et destiné à remplacer sa première machine.

Quelle que soit la rapidité avec laquelle un appareil accomplit des calculs, sa vitesse est limitée par le temps qu'il lui faut pour accéder aux données dont il a besoin. Au début, cela constituait un problème majeur. Ma contribution personnelle a consisté à trouver le moyen d'accélérer le processus. Ce travail s'inscrivait dans un domaine de la conception des ordinateurs appelé d'abord stockage puis mémoire.

Aujourd'hui pour classer les ordinateurs selon leur capacité, nous utilisons comme unité de mesure leur quantité de mémoire et la rapidité d'accès à cette mémoire. De nos jours, n'importe qui peut, pour quelques milliers de dollars, s'offrir un ordinateur personnel doté d'une mémoire à semi-conducteurs d'un million d'octets. Mais, vers la fin des années 1940, des millions de dollars furent dépensés pour mettre au point des ordinateurs dont la capacité de mémoire ne dépassait pas quelques centaines d'octets.

On a souvent dit que la mémoire constituait le moteur à combustion interne des ordinateurs ; cependant, son importance n'est apparue qu'assez tard. Lorsque je travaillais au laboratoire de Calcul, on commençait à peine à prendre en considération les possibilités que permettait cette mémoire de grande capacité. S'ils reconnaissaient que la mémoire était utile pour la conservation des données, la plupart des chercheurs estimaient que la vitesse des calculs était plus importante.

Toutefois, dès que la mémoire a été largement développée, les spécialistes se sont rendu compte de ses avantages et de ses possibilités. Par exemple, une mémoire d'accès rapide et facile, permet le stockage conjoint de programmes et de données à l'intérieur de l'ordinateur, faisant de celui-ci un outil polyvalent ; c'est également grâce à elle que l'on a pu créer des langages de programmation et des applications rendant les machines plus accessibles aux non professionnels. Et elle continue à jouer un rôle essentiel dans les progrès de l'informatique. Si, un jour, nous réussissons à nous adresser à l'ordinateur en lui parlant normalement, ce sera parce qu'il sera doté d'une mémoire suffisante pour accomplir les opérations indispensables à la traduction du langage parlé en un langage susceptible d'être compris par la machine. Aujourd'hui, un ordinateur accomplit près de cent millions d'opérations pour comprendre une seule phrase parlée, charge énorme pour la mémoire.

Depuis une trentaine d'années, la structure de base des ordinateurs s'est quelque peu normalisée, aussi avons-nous tendance à oublier qu'au départ sa conception n'était pas évidente. Dans les années 1940, un certain nombre de personnes continuaient à croire plus en l'avenir des calculateurs analogiques (ceux qui manipulent des mesures à la place des chiffres) qu'à celui des ordinateurs numériques. Cela se comprenait, car ils étaient, dans certains cas, plus rapides et moins onéreux, à condition de ne pas exiger une très grande précision au-delà de deux ou trois décimales. Le premier grand calculateur en service à Cambridge, un analyseur différentiel construit en 1930 par Vannevar Bush du MIT, était une machine analogique.

Vers la fin des années 1940, le problème de la mémoire n'avait pas encore été réglé. Les chercheurs hésitaient sur le choix du meilleur moyen d'emmagasiner et de récupérer les nombres binaires. Lorsque je commençai à m'intéresser au problème du stockage des informations, il existait plusieurs types de mémorisation en service ou sur le point de l'être : relais électromécaniques, tubes à vide, tubes à rayon cathodique, cartes perforées, rubans magnétiques, tambours magnétiques, lignes à retard acoustique et à mercure. Un calculateur construit à l'époque par IBM utilisait même trois types différents de mémorisation à la fois.

Chacun de ces systèmes offrait une solution au problème du stockage d'informations binaires, mais avec plus ou moins d'inconvénients : les relais électromécaniques étaient encombrants, bruyants et lents ; les cartes perforées étaient stables (les informations pouvaient être conservées même hors tension), mais très lentes elles aussi ; plus rapides, les tubes à vide ne nécessitaient aucune manipulation mécanique, mais exigeaient une tension permanente et avaient tendance à griller. Les lignes à retard (idée ingénieuse emmagasinant les informations sous forme d'ondes) semblaient prometteuses, mais il fallait faire défiler toutes les informations pour trouver la bonne ; enfin, il y avait les mémoires à tube cathodique qui conservaient l'information sur un écran par phénomène de rémanence. Très rapides — dix fois plus qu'une ligne à retard — parce qu'elles permettaient un adressage direct par localisation sur l'écran, elles avaient l'inconvénient d'exiger, comme les tubes à vide, une alimentation électrique continue. Cependant, ces mémoires représentaient sans doute la forme la plus primitive de ce qu'on appelle aujourd'hui la mémoire à accès aléatoire (Random Access Memory, RAM).

De tous les dispositifs de conservation de l'information, le support magnétique paraissait le plus prometteur. A l'époque où j'entrai au laboratoire de Calcul, le problème qui nous préoccupait était que la seule méthode au point d'enregistrement magnétique de l'information binaire nécessitait des moyens mécaniques peu pratiques pour conserver et lire cette information.

Il fallait, en effet, lire les données stockées soit sur une bande soit sur un tambour rotatif magnétiques. Une première tête magnétique (comme on en trouve sur un magnétophone) enregistrait l'information et une seconde la lisait. Cette méthode simple utilisait la technologie de l'époque. La bande ou le tambour devaient être déplacés pour être lus, d'où la lenteur de l'opération. Les tambours les plus rapides étaient dix fois plus lents que les lignes à retard à mercure, elles-mêmes, rappelons-le, dix fois plus lentes que les tubes à rayon cathodique.

Ainsi, la solution du problème que le Dr. Aiken m'avait confié semblait à la fois simple et impossible. Il me demandait de trouver le moyen d'enregistrer et de lire, sans opération mécanique, des données stockées sur des mémoires magnétiques. Je savais que c'était faisable, mais je pensais que cela entraînerait la destruction de l'information.

L'équipe dirigée par le Dr. Aiken se composait de cinq ou six attachés de recherche et de quelques assistants.

Entré en mai 1948 au laboratoire, je fus officiellement considéré comme salarié le 1er juillet de la même année. Chaque attaché jouissait d'une grande autonomie. En fait, étant donné que six chercheurs avaient la responsabilité de concevoir un calculateur complet, chacun d'entre nous agissait un peu comme un département de recherche et développement en miniature.

Le laboratoire lui-même ressemblait à n'importe quel labo d'électronique : efficace et banal. Neuf à l'époque, le bâtiment en briques avait l'allure sévère d'une école. Une fois à l'intérieur, la première chose qui s'offrait à la vue était l'énorme Mark I enfermé dans une cage de verre pour en diminuer le bruit assourdissant. Le premier étage était entièrement consacré à l'administration et à des salles de réunion lambrissées. Le rez-de-chaussée consistait essentiellement en un immense atelier sans séparation, où chaque chercheur disposait d'une aire de travail encombrée de matériel électronique.

Grand, les traits acérés, le regard intimidant, le Dr. Aiken inspirait la crainte à bien des membres de son équipe. Doté d'un fort tempérament, cet homme remarquable avait des réactions imprévisibles, même pour ceux qui le connaissaient de longue date. Je me souviens avoir effectué plusieurs trajets en voiture avec lui ; c'était le genre de conducteur à avoir toujours le pied sur l'accélérateur ou sur le frein, il n'était jamais en roue libre. Il travaillait énormément, quittant le labo à huit ou neuf heures le soir et recommençant le lendemain matin souvent dès quatre heures. Je ne crois pas qu'il ait rencontré un seul homme — y compris John von Neumann — qui lui ait paru plus intelligent que lui. Il détestait les conversations banales, ce qui ne me gênait guère. Ayant encore quelques difficultés à m'exprimer en anglais, je m'efforçais d'être aussi concis que possible.

Ses colères légendaires et la dureté dont il faisait parfois preuve envers ceux qu'il ne considérait pas comme ses pairs intellectuels avaient fait de lui un personnage redouté de tous, capable de réprimander en public les malheureux auteurs de quelque erreur. Le bruit courait que cet ancien officier de marine avait, peu avant la fin de la guerre, menacé un chercheur de l'expédier sur le front du Pacifique parce que celui-ci s'était regimbé lorsque Aiken lui avait donné l'ordre d'apprendre la programmation. Toutefois, s'il estimait quelqu'un à sa hauteur, il réprimait ses humeurs et allait même jusqu'à tolérer la contradiction. Aiken était aussi un idéaliste : il croyait intimement que la recherche en informatique appartenait au domaine public et non à des individus ou à des entreprises.

Bien qu'étant l'un des pionniers de l'informatique, il ne perçut pas à l'époque l'importance potentielle des ordinateurs. En 1947, il avait, disait-on, essayé de décourager le National Bureau of Standards d'apporter un soutien financier à Eckert et Mauchly en affirmant : « Il n'y aura jamais assez de problèmes à résoudre, ni assez de travail pour plus d'un ou deux de ces calculateurs... »

Nous n'avions guère l'occasion de nous rencontrer, car il passait la plupart de son temps dans les bureaux et moi au laboratoire. Je n'eus donc pas à subir l'une de ses fameuses tirades, et j'en conclus qu'il m'avait accepté comme l'un de ses pairs et était satisfait de mon travail. La seule fois où je passai plusieurs heures avec lui, il se montra plutôt cordial. Nous nous étions rendus ensemble à une conférence à Washington, D.C. Il m'invita à dîner et alla même jusqu'à me proposer un apéritif. A l'époque, je ne buvais pas et j'hésitai avant d'accepter, craignant l'effet que cela pourrait avoir sur moi. Fort heureusement, tout se passa très bien.

Ma qualité de chercheur me procurait une grande indépendance, ce qui me convenait parfaitement, parce que j'ai toujours aimé travailler en solitaire et parce que j'ai toujours été très exigeant envers moi-même. Je discutais souvent avec le Dr. Way Dong Woo, un camarade de l'université de Chiao Tung, également au laboratoire de Calcul. Avec lui, je pouvais m'entretenir en chinois de problèmes techniques ou de la situation en Chine. A cause de mon mauvais anglais, j'évitais de bavarder trop longtemps avec mes autres collègues.

La machine sur laquelle je travaillais était le Mark IV, le premier calculateur entièrement électronique. Juste avant mon arrivée au laboratoire, Aiken et son équipe venaient de terminer le Mark III, calculateur électromécanique utilisant une mémoire à tambour magnétique. (Les directeurs d'IBM, qui avaient financé le Mark I, étaient furieux contre le Dr. Aiken parce que, lors de la conférence de presse donnée pour présenter l'appareil, il n'avait mentionné le nom de leur compagnie que du bout des lèvres. Et ils avaient alors décidé d'octroyer leurs subventions au MIT.) Pour le Mark IV, les subsides provenaient de l'armée de l'air.

En me mettant à la tâche confiée par le Dr Aiken, je dus faire face à deux problèmes totalement différents : d'une part le problème de conception de la mémoire, et d'autre part celui de la faire fonctionner. En quelques semaines après mon arrivée au laboratoire, j'avais réalisé la percée technologique et conceptuelle, mais le problème pratique de trouver les matériaux adéquats et de la mise en œuvre me prirent beaucoup plus de temps.

Comme je l'ai déjà indiqué, lorsque le Dr. Aiken m'avait demandé de trouver le moyen de lire une information magnétique sans intervention mécanique, je savais que cela serait possible avec l'électricité — grâce à cette

70

caractéristique magnétique considérée comme un don fait par la nature aux ordinateurs : une fois aimanté dans une direction, un matériau garde cette direction magnétique (ou flux) jusqu'à ce qu'il soit affecté par un courant électrique qui entraînera un flux opposé. Cela signifiait que l'on pouvait emmagasiner l'information comme un flux magnétique d'une direction ou d'une autre, et que cette information serait conservée même hors tension ; le flux positif pouvait être lu comme le nombre binaire 1, et le flux négatif comme le nombre binaire 0. Je pouvais lire l'information en essayant d'aimanter le matériau dans une direction donnée (par exemple, dans la direction négative) : si le flux était positif, il s'inverserait, entraînant une impulsion électrique et je lirais l'information comme le nombre 1 ; dans le cas d'un flux négatif, il resterait inchangé, n'entraînant aucune impulsion électrique et je lirais l'information comme le nombre 0. Il restait encore un problème à régler et il était de taille : en s'inversant, le flux détruisait l'information qu'il contenait. Voilà pourquoi, je me trouvais moi aussi confronté à ce qui semblait être une impasse.

J'avais déjà trouvé que le meilleur moyen de conserver l'information magnétique était d'utiliser une configuration en forme d'anneau — ou tore — parce qu'elle nécessitait moins de courant pour créer ou inverser un champ magnétique continu. Je savais également que si je voulais pouvoir lire le signe de la charge engendrée par l'inversion du champ magnétique, le support magnétique devrait posséder des propriétés particulières : entre autres, avoir un flux magnétique *résiduel* très puissant, c'est-à-dire que la lecture de l'information exigeait un courant presque aussi puissant que celui du champ original. Ces deux conditions, somme toute banales en physique appliquée, me paraissaient susceptibles de me rapprocher de la solution tant recherchée. J'essayai alors d'imaginer un moyen de lire le champ en choisissant un courant de faible puissance, ou en utilisant une méthode sans effet sur son état, mais toutes ces tentatives se révélèrent vaines ; il y avait toujours quelque chose qui ne marchait pas. Au bout de deux ou trois semaines, j'eus l'impression d'avoir fait le tour de la question sans avoir trouvé la solution.

Et puis un jour alors que je traversai la cour de Harvard, une idée me vint soudain. Comme cela arrive souvent dans la recherche, j'étais tellement obnubilé par le problème de la conservation du flux magnétique tel qu'il était lu que j'en avais perdu de vue mon objectif. Je me rendis compte qu'il importait peu que l'information soit détruite au cours de la lecture. L'information acquise en lisant la mémoire magnétique pouvait être *réécrite* immédiatement après. De plus, puisqu'il suffisait de quelques millièmes de seconde pour modifier le flux magnétique, je pouvais le faire sans sacrifier à la rapidité. Ce principe de réécriture de l'information constitue la caractéristique essentielle de la mémoire magnétique à tores.

Je venais de comprendre que j'avais résolu mon problème. Grâce à cette idée, je pouvais concevoir une mémoire capable de répondre aux trois critères exigés par le Dr. Aiken : stabilité, rapidité et absence d'intervention mécanique.

J'ai toujours eu l'habitude de noter dans un carnet l'évolution de mes recherches. Voici ce que j'écrivis le 29 juin 1948 :

« ... Il est très possible que l'information reste là (dans le tore sous la forme d'une direction magnétique particulière) et soit transférée très souvent avant que l'information (ne soit perdue ou brouillée)... »

Il ne me restait plus qu'à trouver le meilleur matériau magnétique convenant à la fabrication de ces tores et à imaginer le moyen de les assembler de manière à ce qu'ils forment un tout constituant une mémoire de calculateur. Ce n'était pas une mince affaire puisque chacun d'eux ne pouvait emmagasiner que des parcelles d'information.

Après de longues recherches, nous sommes tombés sur une publication présentée par un laboratoire de la marine qui décrivait un matériau magnétique souple utilisé par les Allemands pendant la seconde guerre mondiale. Les services secrets de la marine s'étaient procuré ce matériau, appelé Permanorm 5000-Z. C'était exactement ce qu'il nous fallait. Par la suite, Allegheny Ludlum Steel Corporation reproduisit cet alliage en ferronickel et le vendit sous le nom de Deltamax. Il devint le matériau de base de la mémoire à tores pendant deux ou trois ans avant d'être remplacé par des composants métalliques, les ferrites.

Pour assembler les tores en un système de mémoire, je profitai du fait que l'acte de lecture de l'information induisait un courant. Je me rendis compte qu'en connectant les tores en série, le courant produit par un tore permettait de lire le suivant et ainsi de suite, jusqu'au dernier ; le courant produit par ce dernier tore permettait alors de réécrire le premier. Cette conception ressemblait beaucoup à celle des lignes à retard déjà mentionnées. Comme elles, cette disposition était lue en série — il fallait faire défiler la série pour trouver l'élément de mémoire souhaité. A mesure que la mémoire augmentait, la manipulation de ce système devenait de plus en plus malaisée ; aussi, renonça-t-on très vite à utiliser des tores dans une ligne à retard pour des stockages importants. On s'en servit pour le Mark IV et pour un petit nombre d'autres machines.

Par une bizarre ironie du sort, si cette application précise de la mémoire à tores ne connut guère de succès, mon idée de tore individuel allait servir de base aux mémoires d'ordinateur pendant les vingt années suivantes. En effet, le Dr. Jay W. Forrester, chercheur au MIT, en entendit parler et mit au point un système beaucoup plus performant sur le plan pratique que les lignes à retard.

Son idée consistait à organiser un certain nombre de tores en un treillis ou matrice. Chaque tore devait être enveloppé à l'intersection de deux fils. Si on faisait passer par l'un quelconque de ces fils la moitié seulement du courant nécessaire à inverser le champ magnétique d'un tore, l'unique endroit où le courant serait suffisamment puissant pour inverser ce champ se situerait à l'intersection des deux fils. La somme des deux courants dépasserait alors la quantité nécessaire pour inverser le flux magnétique du tore et il serait possible d'indiquer avec précision le tore que l'on voudrait lire.

C'était une idée brillante parce que, grâce à ce système, Forrester n'avait pas besoin de sillonner tous les tores pour obtenir une information particulière. De même qu'avec les mémoires à tube cathodique, il pouvait avoir d'emblée accès à celle souhaitée. De plus, cela permettait d'augmenter la capacité de la mémoire bien au-delà des quelques milliers de bits jusque-là atteints par les autres systèmes en vigueur.

Et c'est exactement ainsi que cela se passa. Au cours des années, on s'appliqua à miniaturiser les tores et à en mettre de plus en plus dans des matrices toujours plus grandes. Aux tores Deltamax gros et peu maniables succédèrent les tores de ferrite, beaucoup plus petits. IBM conçut un ordinateur doté d'une mémoire à tores de 250 000 bits et à partir de laquelle fut développée la famille d'ordinateurs IBM 360 — pendant longtemps le cheval de bataille d'IBM ; elle en vendit trente mille dans les années 1960. Ce n'est que lorsque les semi-conducteurs sortirent des laboratoires vers 1970 que l'importance des mémoires à tores magnétiques commença à diminuer. Aujourd'hui encore, il arrive que l'on utilise une mémoire à tores pour pouvoir conserver des informations malgré les coupures de courant.

Par exemple, la navette spatiale *Challenger*, qui se désintégra tragiquement en 1986, était équipée d'ordinateurs de secours dotés de mémoire à tores, afin que les informations soient conservées même en cas d'accident. Les enquêteurs examinèrent ces mémoires récupérées pour comprendre les événements qui avaient conduit à la catastrophe.

A l'évidence, la matrice a joué un rôle prépondérant dans cette mémoire et dans l'histoire de l'informatique. Le mérite en revient entièrement au Dr. Forrester. Je n'avais fait que définir une manière de lire et de réécrire un tore donné, idée fondamentale certes et dont le Dr. Forrester reconnut le bien-fondé, mais c'est à lui que revient le mérite d'avoir été un peu plus loin.

En effet, je me rends compte à présent que les tores offraient des possibilités que je n'avais pas suffisamment exploitées. Lorsque l'on fait une découverte — surtout si elle est originale — il importe d'en explorer toutes les applications, en particulier les moins conventionnelles. Si j'avais persévéré, j'aurais peut-être eu l'éclair de génie qui a permis au Dr. Forrester d'aboutir à la matrice. Au lieu de cela, nous nous étions contentés de faire entrer cette idée révolutionnaire dans le moule conventionnel de la ligne à retard. Ce fut une leçon que je n'oubliai pas et, depuis, je m'efforce de rechercher toutes les utilisations possibles de mes inventions.

J'ai toujours cru que si je réfléchissais suffisamment longtemps et sérieusement à un problème, la solution *pourrait* se présenter à moi, même si, naturellement, rien ne garantissait que je puisse tout résoudre. Lorsqu'on s'immerge complètement dans un problème, l'esprit se détourne de ses rails et œuvre inconsciemment à une solution. En général, on commence par faire appel à ses connaissances, mais cela ne suffit pas. C'était ce qui s'était passé quand j'avais voulu lire les tores sans détruire l'information. A un moment donné, le plus souvent lorsqu'on se trouve dans une impasse, on est contraint d'examiner des éventualités qui sortent du cadre de ce que l'on a appris — dans le cas présent, peu importait que l'information fût ou non détruite à partir de l'instant où il était possible de la réécrire.

Lorsque j'eus cette intuition, il s'agissait d'un éclair et non d'une conclusion logique correspondant à une pensée consciente. Mes meilleures idées sont toujours venues ainsi — elles se présentent à moi par le truchement de mon subconscient, comme un cadeau plutôt que comme le produit d'une lutte ardue. Ce n'est pas un processus que je peux contrôler ni même orienter ; c'est la raison pour laquelle je doute que l'on parvienne à mettre au point un ordinateur qui puisse posséder ce côté intuitif de l'intelligence humaine. J'ignore ce qui se passe à l'instant précis où, après avoir tout passé au crible, l'esprit va au-delà de la connaissance et découvre comment résoudre un problème jusque-là insoluble. D'après ce que nous en savons, il pourrait exister plusieurs sortes d'intuition, selon le problème et les circonstances. Dans ces conditions, comment pourrait-on concevoir une machine capable d'imiter ce processus ? Les chances de créer une machine susceptible d'accomplir ce que nous ne comprenons pas encore bien nous-mêmes me semblent minces.

Mais, d'un autre côté, les concepteurs d'ordinateurs deviennent experts dans l'art de susciter des modes de raisonnement particuliers, et il n'est donc pas impossible qu'un ordinateur surprenne un jour son créateur en manifestant une forme d'intuition. Les ordinateurs pourront peut-être posséder une intelligence semblable à celle de l'homme avant que l'on comprenne en quoi cette dernière consiste vraiment.

Trouver la solution au problème de la mémorisation contribua à me conforter dans l'idée que je pourrais gagner ma vie dans mon pays d'adoption. Le Dr. Aiken devait être très content de moi, puisqu'il m'accorda une augmentation de 23 % au bout de ma première année de travail chez lui, ce qui créa un précédent dans le petit monde du laboratoire de Calcul.

Je m'attaquai ensuite à la conception des circuits logiques destinés au Mark IV. Cependant, dès la seconde année, il devint évident que les jours de la recherche informatique à Harvard étaient comptés. Cette université a, en effet, pour politique de ne pas poursuivre la recherche, dès lors qu'une technologie est prête à être commercialisée. Dès 1950, je me rendis compte que ce jour était proche.

J'étais prêt à me lancer seul. La véritable signification de ma découverte n'apparaîtrait pas avant des années. J'ignorais alors que l'invention de la mémoire à tores ferait de moi un homme riche. La satisfaction intellectuelle d'avoir résolu un problème jusque-là insoluble était déjà en soi une récompense. Je commençai aussi à me demander comment cette invention permettrait de résoudre des problèmes plus concrets de la vie quotidienne, ce qui, finalement comptait le plus pour moi.

II
Des risques calculés

4

De la recherche à l'entreprise

Ces dernières années, un grand nombre d'universitaires ont abandonné la sécurité de leur poste pour créer leur propre entreprise dans le domaine de la haute technologie. Mais, en 1951, il en allait tout autrement. On pensait alors que ce qui était bon pour General Motors l'était pour le pays. Si un chercheur quittait l'université, c'était pour entrer dans une société importante, pas pour créer son entreprise. Les sociétés de capital risque ne parcouraient pas les campus en quête de spécialistes qu'ils pourraient financer. En effet, les investissements à risques étaient loin d'être répandus à l'époque : l'ancêtre de ce type de financement pour la technologie de pointe, American Research and Development, devra attendre encore cinq ans avant de participer à la fondation de Digital Equipment Corporation (DEC).

C'est pourquoi la décision de monter ma propre entreprise a été considérée comme audacieuse. Arrivé de Chine depuis six ans à peine, j'abordais un domaine tout à fait nouveau. Mais, à mon sens, je profitais simplement d'une conjoncture favorable sans prendre de grands risques.

Dix-huit mois avant de créer Wang Laboratories, j'avais effectué les premières démarches pour faire breveter mes mémoires à tores. Et cela m'avait amené à réfléchir aux applications commerciales de cette invention.

Pendant cette période de transition, je suis devenu américain, d'esprit sinon de fait. Je me suis marié ; ma femme et moi avons décidé de nous installer dans la région de Boston. J'avais rencontré Lorraine Chiu en 1948. Lorraine était, comme moi, originaire de Shangai, mais sa famille avait des liens très anciens avec les Etats-Unis et comptait parmi ses membres Yung Wing, premier Chinois venu étudier à Yale. Diplômé en 1854, il avait suivi une carrière qui l'avait rendu célèbre des deux côtés du Pacifique. Les parents de Lorraine étaient nés à Hawaï, avant que cet archipel ne soit annexé par les Etats-Unis (et longtemps avant qu'il n'en devienne le 50ème Etat), mais ils avaient regagné Shangai au moment de la révolution de Sun Yat-sen et s'étaient mariés en Chine. Même si elle avait encore de la famille à Hawaii, Lorraine s'était retrouvée très seule quand la guerre civile avait éclaté dans sa patrie, la coupant des siens.

Bien qu'originaires de la même ville, nous ne nous étions jamais rencontrés avant notre arrivée aux Etats-Unis. Pourtant, nous avions suivi le même cheminement. Comme moi, elle avait étudié à Shangai (au collège Saint-John), était partie en Amérique et avait continué ses études à Boston ; elle suivait des cours de littérature anglaise (Shakespeare en particulier) à Wellesley, université que fréquentaient aussi une de ses sœurs et quelques amis chinois.

Ma vie mondaine se bornait alors à assister aux réunions organisées pour les étudiants et les chercheurs chinois vivant à Boston ou aux environs. C'est au cours de l'une de ces soirées qu'en 1948 j'ai fait la connaissance de Lorraine. Nous nous sommes revus à plusieurs reprises et l'année ne s'était pas écoulée que nous avions décidé de nous marier.

A cause de la guerre civile, nous n'avons pas pu respecter la tradition et demander l'approbation de ses parents.

Aujourd'hui, aux Etats-Unis, ce genre de formalités peut prêter à sourire, mais, à l'époque, ne pas pouvoir observer les usages était durement ressenti par un couple chinois. Après notre mariage en 1949, nous nous sommes installés à Cambridge dans un appartement agréable dans Massachusetts Avenue.

Ma décision de déposer un brevet fit l'effet d'une bombe au laboratoire. Jusque-là, j'avais toujours été assez tranquille, aussi mes collègues se montrèrent-ils surpris. Ils craignaient la réaction du Dr. Aiken. Ayant eu affaire à lui plus souvent que moi, ils avaient expérimenté sa sévérité. Ils ne comprenaient pas comment j'avais l'audace d'accomplir une telle démarche, alors que, pour le Dr. Aiken, tout ce qui touchait au développement de l'électronique devait impérativement rester dans le domaine public et profiter à tous.

Pour être tout à fait franc, je n'ai jamais pris cette objection très au sérieux. J'étais beaucoup plus intéressé par le bien-fondé éventuel de ma décision que par le fait qu'elle pouvait hérisser les plumes de X ou de Y. J'avais déjà connu pas mal de situations très difficiles. Je n'étais pas immunisé contre le stress — je ne le suis toujours pas — mais aujourd'hui comme alors, une fois ma décision prise, je ne perds pas de temps à me lancer dans des supputations ni à m'inquiéter des conséquences.

C'est en juin 1949 que cette idée m'est venue et j'en ai alors discuté avec Lorraine. Même si elle en savait beaucoup plus sur Shakespeare que sur Newton ou Einstein, elle a tout de suite vu l'avantage qu'il y avait à faire breveter mon invention. Elle m'y a poussé et, sans elle, je n'aurais sans doute pas eu le courage de mener à bien cette opération.

Naturellement, je n'ignorais pas que des ingénieurs

avaient commercialisé leurs découvertes (même si j'étais sûr que personne ne l'avait fait au laboratoire de Calcul) et mon premier souci a été de chercher à savoir si Harvard était intéressé par le brevet ou par l'éventualité d'en partager les droits avec moi.

Bien que n'ayant jamais affronté ses colères, j'en avais suffisamment entendu parler pour savoir qu'il valait mieux attendre avant d'avoir un entretien avec Aiken. En revanche, je discutai avec des responsables chargés à Harvard des contrats avec l'extérieur. Une convention passée entre cette université et l'US Air Force stipulait que Harvard se réservait uniquement les droits concernant le domaine de la santé et que ces brevets devaient être d'utilité publique. Mon invention n'entrant pas dans cette catégorie (même si aujourd'hui, la santé publique serait impossible à gérer sans ordinateur), les gens de Harvard me suggérèrent de déposer moi-même la demande, à mes frais, en me précisant que, mes travaux étant financés par l'Air Force, l'Administration bénéficiait automatiquement d'une licence non-exclusive sur tous mes brevets.

Comme j'étais novice en la matière, je les priai de me recommander quelqu'un de compétent. Ils me conseillèrent leur avocat dans ce domaine, Edgard H. Kent, du cabinet juridique Fish, Richardson & Neave de Boston.

En septembre 1949, je me rendis donc à l'étude de Mr. Kent et fus reçu par un avocat, frais émoulu de la faculté, Martin Kirkpatrick. Je lui demandai si, à son avis, mes mémoires à tores pouvaient faire l'objet d'un brevet. Là encore, la chance est intervenue, car ce jeune homme a été assez avisé pour deviner le potentiel que représentait pour l'informatique un dispositif stable, non mécanique, capable de conserver l'information. C'était assez extraordinaire à une époque où il n'existait que quelques calculateurs dans le monde et à propos desquels, en dehors des laboratoires de recherche, personne n'y connaissait grand chose. Comme beaucoup d'avocats spécialisés dans la législation des inventions, Marty avait un diplôme de sciences et a pu très rapidement comprendre de quoi il s'agissait. Cette rencontre a marqué le début d'une relation d'affaires et d'une amitié qui ne se sont jamais démenties. En un mois, nous avons préparé et déposé un brevet pour mon « dispositif de commande de transfert d'impulsions ».

A cause des sommes considérables en jeu, mes brevets ont provoqué réclamations et litiges. Pendant neuf ans, jusqu'à ce que toutes les contestations qu'ils suscitaient fussent réglées, j'ai pu parcourir à loisir le dédale des lois relatives à la protection de la propriété industrielle.

S'il n'a pas à citer d'autres brevets ou références, un brevet est fondamental, ou large. L'informatique étant à l'époque un domaine relativement vierge et mon invention fondamentale, il n'existait pratiquement pas de brevets auxquels se référer. Le mien était donc large, comparé à celui sur les mémoires matricielles que Forrester devait déposer un peu plus tard et qui eut à mentionner un certain nombre de références, dont les miennes. Cela signifiait que si l'on m'accordait un brevet pour les mémoires à tores, toute personne désireuse d'utiliser ces tores pour une quelconque application, y compris pour les mémoires matricielles (j'en ignorais alors l'existence) devrait honorer ma revendication.

Tout brevet ou demande de brevet comprend un certain nombre de revendications définissant l'invention de telle sorte qu'on puisse la distinguer de toute utilisation ou publication antérieures. Une invention est définie par un nombre de revendications de portée variable, chacune d'elles étant considérée comme une invention séparée par le Bureau des Brevets. Ceci pour permettre de protéger l'inventeur dans le cas où une publication ou une utilisation antérieures annulent la revendication la plus large, sans pour autant toucher aux autres. Ni Marty Kirkpatrick ni moi ne pouvions imaginer le rôle qu'allaient avoir ces mémoires à tores dans le développement des ordinateurs, mais Marty a tout de suite compris qu'il s'agissait d'un brevet fondamental, plein de promesses sur le plan commercial. Il contenait trente-quatre revendications concernant la structure et l'utilisation de ces mémoires. J'en transcris la plus importante :

« 24. Un dispositif de commande de transfert d'impulsions comprenant un tore de matière magnétisable dans lequel la densité du flux magnétique résiduel représente une large fraction de la densité du flux de saturation, des bobinages sur ledit tore, des mécanismes générateurs d'impulsions électriques reliés auxdits bobinages, permettant de donner des impulsions électriques de polarité opposée, et lesdites impulsions de l'une des deux polarités agissant de manière à saturer ledit tore dans une direction pour mettre en mémoire l'information, les impulsions de la polarité opposée agissant, d'une part, pour relire ladite information en induisant une tension dans lesdits bobinages selon l'état de la densité du flux magnétique résiduel dudit tore et, d'autre part, pour réécrire l'information dans ledit tore. »

Elle décrit les configurations qui servent de base à toutes les applications de la mémoire à tores. Comme on peut s'en rendre compte, la description d'un brevet n'est pas le genre de prose que les gens aiment à citer lors d'un cocktail.

Une fois la demande déposée, le Bureau des Brevets juge de la précision et de la validité des revendications.

Chaque semaine, il publie dans sa revue, *Official Gazette*, les résumés de tous les brevets déposés. Si, à la lecture de ce journal, un inventeur estime qu'il a eu avant vous l'idée de l'invention citée, il a le droit de reprendre vos revendications dans sa demande et de déposer une requête pour interférence auprès de l'inspecteur des brevets. Si elle est valable, débute alors une longue procédure au cours de laquelle sera définie la portée de ces interférences ; cela peut prendre quelques années. Toutefois, l'inventeur a le droit, en attendant la décision finale, d'accorder des licences sur son invention.

Dans mon cas, les formalités — processus d'amendement et reformulation de ma demande — n'étaient pas encore terminées quand j'ai quitté le laboratoire de Calcul ; et, lorsque j'ai pris la décision de fonder Wang Laboratories, j'espérais, sans en être certain, que j'aurais le droit de commercialiser mon invention.

Je déposai mon brevet le 21 octobre 1949 ; puis, prenant mon courage à deux mains, je sollicitai une entrevue avec le Dr. Aiken afin de l'informer de mes projets. Bien que ma décision fût irrévocable, je ne savais pas comment il allait l'accueillir. Après tout, il pouvait piquer une de ses colères légendaires. En général, mes soucis de la journée disparaissent dès que je me couche. Je me souviens que la nuit précédant notre rencontre a été l'une des rares fois où j'ai éprouvé quelques difficultés à m'endormir.

En fait, mes appréhensions n'étaient pas fondées. Je ne prétendrais pas qu'il ait manifesté une joie débordante, mais il n'a pas non plus réagi de manière négative ; en réalité, il n'a pas réagi du tout ! Par la suite, il m'a même accordé une augmentation substantielle, ce qui m'incite à penser qu'il ne m'en a pas voulu. En tout cas, nos relations n'ont pas connu d'altération sensible au cours des dix-huit mois suivants.

Cependant, plusieurs événements me poussèrent à faire le bilan de ma situation. Dans les années 1950, il devenait clair que la technologie des calculateurs se développait et que des sociétés allaient fabriquer des machines et les commercialiser. Eckert et Mauchly avaient déjà créé leur entreprise et d'autres projets étaient en cours.

Le premier Atlas I, un calculateur à programme enregistré réalisé par Electronic Research Associates, a été vendu à l'Administration américaine en décembre 1950, et trois mois plus tard, la firme Eckert et Mauchly livrait le premier UNIVAC au Bureau du Recensement.

Comme je l'ai déjà indiqué, la politique de Harvard à cette époque consistait à cesser les recherches dans un domaine dès que les applications commerciales devenaient possibles. L'idée qui sous-tendait cette orientation était que les ressources universitaires devaient être utilisées pour élargir le champ des connaissances et non pas pour mettre au point un piège à souris plus performant. Aussi, dès l'apparition des premiers calculateurs sur le marché, l'équipe travaillant au laboratoire de Calcul se douta-t-elle que Harvard allait freiner la recherche fondamentale en informatique.

Les autres centres universitaires n'appliquaient pas une politique aussi stricte. Au MIT par exemple, les travaux se sont poursuivis. A mon avis, l'université de Harvard a eu tort d'abandonner si vite cette branche, à laquelle elle s'intéresse, d'ailleurs, à nouveau, mais sans retrouver pour autant la position éminente qu'elle occupait alors. Encore aujourd'hui presque toutes les facultés consacrent une partie de leur recherche à l'informatique.

Le Mark IV a été le dernier calculateur construit par le laboratoire de Calcul sous la direction du Dr. Aiken. J'ai travaillé à cette machine jusqu'à mon départ en 1951. Ensuite, une fois cet ordinateur terminé, le laboratoire s'est orienté vers l'élaboration de données scientifiques et de tables de calculs.

Du fait de cette politique, renoncer à mon poste m'a été relativement facile. Toutefois, je savais qu'en partant, je perdais un salaire confortable : à l'époque, cinq mille quatre cents dollars par an. Je savais aussi que je pouvais le doubler en entrant dans l'industrie, mais je n'avais aucune envie de me lier à une entreprise. J'ai toujours été très soucieux de mon indépendance et l'idée de travailler pour IBM, Hughes Aircraft, Remington Rand ou toute autre société ne me tentait pas plus qu'à mon arrivée ici ou qu'après mon PhD. Je n'envisageais pas non plus de postuler à un autre centre de recherche universitaire. Je voulais en fait créer ma propre affaire.

Après avoir déposé mon brevet, j'ai été contacté à plusieurs reprises par des chercheurs appartenant à l'industrie ou à l'université et travaillant au développement des calculateurs. En juin 1949, Woo Dong Woo et moi avions présenté, à une réunion de l'American Physics Society, une communication très écoutée sur les mémoires magnétiques. J'avais également écrit dans des journaux scientifiques deux ou trois articles qui avaient suscité de l'intérêt pour mes travaux. Mes découvertes sur les mémoires à tores m'ayant consacré expert en électronique numérique, j'estimais être suffisamment connu pour me lancer.

Plus j'y réfléchissais, plus cela me paraissait raisonnable. Je pouvais, sans engager beaucoup de capitaux, fabriquer et vendre des mémoires à tores ; de plus, j'espérais que l'on ferait appel à moi pour résoudre des problèmes spécifiques à l'électronique numérique.

J'évaluai longuement les risques : d'un côté, je perdais un salaire de cinq mille quatre cents dollars et j'engageais les quelques centaines de dollars d'économies que j'avais faites ; de l'autre, j'avais de bonnes chances de gagner huit mille dollars environ la première année. Atteindre cet objectif, si modeste soit-il, signifiait une augmentation de plus de 50 % de mon salaire actuel.

Mes espoirs étaient très différents de ceux qu'ont, aujourd'hui, tant de nouveaux-venus dans la technologie de pointe. Je ne rêvais pas d'opulence. Je n'avais préparé ni graphique affichant la courbe ascendante et pratiquement verticale des prévisions de bénéfices ni plan à long terme. Et je ne mettais en jeu que mon argent personnel.

Je pressentais dans les toutes prochaines années un besoin croissant de mémoires et de connaissances techniques dans le domaine du calcul électronique. Et j'étais persuadé qu'il en serait ainsi, que les calculateurs révolutionnent ou non le monde des affaires.

Face à cette perspective, il me semblait que j'avais une chance non négligeable de succès. Je me plongeai dans la lecture d'ouvrages sur la gestion d'entreprise et je me renseignai sur les formalités à accomplir dans le Massachusetts. J'en parlai aussi beaucoup avec ma femme. En septembre 1950, elle m'avait donné un fils, Frédéric. Peu de temps après sa naissance, Fred était tombé malade, ce qui avait obligé Lorraine à le ramener à l'hôpital. Ce retour n'ayant pas été prévu, notre enfant avait passé la nuit dans la lingerie ! On n'avait pas pu l'accepter dans le service des nouveaux-nés, car, pendant son bref séjour chez nous, il avait contracté un virus inconnu. Lorraine m'avoua un jour qu'elle avait été si inquiète pour le bébé qu'elle n'avait mesuré que plus tard l'importance de ce que j'entreprenais.

Comme pour la plupart des grandes décisions que j'ai prises depuis, je n'ai pas passé plus d'une quinzaine de jours à peser le pour et le contre, et ensuite, je me suis employé à faire en sorte que tout se déroule le mieux possible.

L'exploitation individuelle représentait le type d'entreprise me convenant le mieux et exigeant un minimum de formalités : il me fallait simplement aller à la mairie, payer une taxe modique d'enregistrement et donner un nom à ma société.

En avril 1951, j'adressai une lettre officielle de démission au laboratoire de Calcul. Mon contrat d'un an expirant en juin, le préavis était suffisant. Le 22 juin, je reçus les documents certifiant que le Dr. An Wang était propriétaire et directeur de Wang Laboratories.

On me demande parfois pourquoi j'ai donné ce nom à mon entreprise, d'aucuns trouvant que cela fait penser à des laboratoires pharmaceutiques. J'aurais, certes, pu l'appeler Digital Electronics ou Cyberdyne, ou quelque chose d'analogue. Mais j'ai préféré utiliser mon nom, en partie, parce qu'à cette époque la compagnie c'était moi, et, peut-être aussi, par orgueil. Je tenais à ce qu'elle reflète mes valeurs, mes origines et, pour être franc, je n'ai pas trouvé de meilleur nom. Le laboratoire de Calcul m'a donné l'idée d'ajouter le mot « Laboratoire », même si les deux acceptions ne sont pas comparables. J'ai préféré le pluriel au singulier — Laboratories — parce que j'escomptais que la société prendrait de l'expansion au cours des années et je voulais un nom susceptible de s'adapter à sa croissance. J'étais très naïf : je n'ai nullement songé aux études de marché, à la réaction des investisseurs et à tous les facteurs entrant en jeu aujourd'hui lorsque l'on baptise une société.

Je trouvai rapidement un bureau au loyer modéré — environ soixante-dix dollars par mois — situé dans Colombus Avenue, dans le Sud de Boston. Je démarrai avec un capital de six cents dollars, sans commandes, ni contrats, ni mobilier.

La conviction que j'avais de prendre un risque, somme toute relatif, étant donné les possibilités d'avenir, n'était pas partagée par nos relations, en particulier nos amis chinois. Très sensibles à la discrimination exercée à l'encontre des Asiatiques, ils estimaient peu raisonnable de monter une affaire dans un domaine encore considéré comme propriété de l'Establishment. A cette époque, la plupart des Chinois poursuivant des études supérieures aux Etats-Unis choisissaient le milieu universitaire pour faire carrière. Accéder au rang de professeur titulaire dans une université très cotée représentait le summum de la réussite : tel était le cas du professeur L.J. Chu, enseignant au MIT et volontiers cité en exemple par la communauté chinoise. Nos amis nous rappelèrent que les seules affaires sino-américaines prospères étaient celles de prestations de services. Je crois que beaucoup s'attendaient à ce que j'échoue.

Après la création de Wang Laboratories, des camarades chinois me téléphonèrent régulièrement pour savoir comment les choses se passaient. Quand il devint évident que je m'en sortais bien, certains de ceux qui avaient suivi ma progression décidèrent de m'imiter. A quelque temps de là, deux de mes connaissances, les frères Li, professeurs au MIT, quittèrent l'université et fondèrent à leur tour leur entreprise.

J'étais évidemment conscient d'une certaine discrimination mais, vivant dans la société cosmopolite de Cambridge, ma femme et moi étions en quelque sorte protégés. Au XIXᵉ siècle, les Chinois avaient été assez mal traités aux Etats-Unis et même quelquefois attaqués par des foules décidées à les lyncher. Quand je suis arrivé dans ce pays, la situation s'était améliorée, mais il subsistait encore des formes plus subtiles de ségrégation. Je me souviens avoir, un jour, répondu à une annonce pour un appartement ; quand nous sommes allés le visiter, le gérant nous a déclaré qu'il venait d'être loué ; je reste persuadé que cet appartement était devenu indisponible dès l'instant où l'on s'était aperçu que nous étions chinois. Chaque fois que je me trouve confronté à ce type de préjugé racial, ma réaction est de ne considérer cela que comme un désagrément de la vie et de redoubler d'efforts pour réussir.

Malgré l'agitation politique que j'ai connue dans ma jeunesse, j'ai toujours éprouvé une grande fierté d'appartenir à une civilisation aussi ancienne que la civilisation chinoise. Un Chinois ne peut jamais oublier ses racines. Des philosophies comme le confucianisme sont aussi pertinentes aujourd'hui qu'il y a 2500 ans. Il existe aussi un génie spécifique à la culture chinoise qui lui permet d'assimiler les idées nouvelles sans détruire pour autant celles de ses ancêtres. Tout en restant chinois, j'avais également maîtrisé certaines disciplines scientifiques, jusque-là apanage des sociétés occidentales. En d'autres termes, j'avais réussi selon leurs propres normes. En conséquence, j'étais navré de voir le rôle peu reluisant que les Américains assignaient à mes compatriotes et, en fondant Wang Laboratories, je voulais aussi un peu prouver que les Chinois pouvaient exceller ailleurs que dans les laveries et les restaurants. Evidemment, la question ne se pose plus aujourd'hui, mais les choses étaient très différentes en 1950.

Cependant, si le désir de changer l'image de marque des Chinois entrait pour une part dans ma motivation, ce serait une erreur de croire que c'en était la seule raison : j'ai fondé mon entreprise avant tout parce que l'opération me semblait judicieuse.

Je ne sous-estime pas non plus le rôle de la confiance en moi, confiance forgée par les risques encourus dans ma jeunesse, et qui me pousse à agir vite. D'autres chercheurs ont eu les mêmes occasions que moi, mais les ont laissées passer. Lorsqu'on envisage une ligne de conduite, il est, bien sûr, nécessaire de rassembler les faits et de les analyser, mais, en définitive, seule l'action compte, et agir exige de l'assurance.

Aujourd'hui, trente-cinq après mes débuts, on ne cesse de me demander comment Wang Laboratories peut survivre face à un concurrent aussi puissant que IBM. Je réponds qu'en 1951, ma société avait moins de chance de subsister, puis d'atteindre sa taille actuelle, qu'elle n'en a aujourd'hui de l'emporter dans la lutte l'opposant à IBM.

5

Des débuts modestes

Le 30 juin 1951 était un jour comme les autres. Je quittai notre appartement situé dans un immeuble de briques rouges et roulai dans ma Buick décapotable d'avant-guerre jusqu'au 296, Columbus Avenue. Là, je pénétrai dans un local d'environ 20 m², dépourvu du moindre mobilier, le siège social de Wang Laboratories.

Je commençai par un investissement essentiel : j'achetai une table et une chaise. Puis j'entrepris les démarches nécessaires à l'obtention du téléphone. Avec un téléphone, une table et une chaise, j'étais prêt à faire des affaires. Afin d'entrer en rapport avec les acheteurs éventuels de mémoires à tores Deltamax, j'empruntai à la bibliothèque de Harvard l'annuaire des laboratoires de recherche publics ou privés qui recensait aussi les noms et adresses de leurs principaux directeurs. Je décidai de les contacter méthodiquement, soit en leur téléphonant, soit en leur envoyant un dépliant que j'avais fait imprimer dans un atelier tout proche. Ce prospectus annonçait simplement que j'avais créé une affaire et indiquait mes qualités. Du fait de mes précédents travaux sur les tores, je connaissais pas mal de gens dans les universités et c'est à eux que je me suis adressé en premier. Beaucoup de facultés et de centres de recherche étaient, en effet, intéressés par l'utilisation de mémoires à tores pour stocker l'information et j'espérais qu'ils m'en commanderaient pour leurs expériences.

J'écrivis ensuite au ministère du Commerce pour demander la liste des appels d'offre regroupant les soumissionnaires de marché et voir si un projet m'intéressait.

Enfin, je décidai de développer systématiquement toutes les idées susceptibles d'aboutir à des applications pratiques. En premier lieu, je conçus un compteur numérique capable d'enregistrer, conserver et afficher des données. A cette époque, il n'existait rien en dehors des calculateurs, et je voyais là un débouché pour mes mémoires à tores. Comme je l'avais déjà fait au laboratoire de Calcul, je me mis à noter mes idées dans un carnet à feuilles mobiles. Ainsi le 27 juillet 1951 (un mois après la création de ma société), j'ai inscrit :« Prévoir de construire au moins un appareil (digitaliseur, compteur...) afin d'en faire une démonstration à l'exposition de l'IRE (Institute for Radio Engineering). J'avais pris l'habitude, quand il s'agissait d'idées scientifiques ou relatives aux affaires, d'écrire en anglais, alors que d'une façon générale, je pensais le plus souvent en chinois.

Je considérais les foires commerciales comme des occasions de faire connaître mes inventions et d'obtenir des contrats. Récemment, ces manifestations sont devenues d'énormes entreprises accueillant de magnifiques stands et des milliers de participants. Si elles étaient de taille modeste à mes débuts — un exposant pouvait, par exemple, n'avoir qu'un bureau et une pile de prospectus à proposer — elles représentaient néanmoins le meilleur moyen de se faire connaître commercialement dans le monde de l'électronique.

Pour fabriquer des tores, il me fallait des matières premières et de l'outillage. Heureusement, il m'était facile de m'en procurer. A Harvard, j'avais déjà eu l'occasion de traiter avec Allegheny Ludlum Steel qui accepta de continuer à m'approvisionner en Deltamax. La fabrication des tores consistait, au début, à enrouler des fils autour du Deltamax toroïdal et ne demandait pas d'autre outil qu'un fer à souder. Plus tard, j'ai mis au point une bobineuse automatique, d'où un gain de temps considérable.

A peine trois semaines après la création de mon entreprise, je reçus les premières réponses à mes lettres. Je vendais les tores quatre dollars pièce, ce qui est un prix très élevé si l'on considère qu'un tore conservait un bit d'information. A ce prix, une puce de 64 K vendue aujourd'hui soixante-quinze cents aurait coûté deux cent cinquante-six mille dollars !

Au début, lorsque je recevais une commande de quelques mémoires à tores, j'étais comblé ; je rentrais le soir à la maison en annonçant : « Aujourd'hui, j'ai eu une commande de quatre tores ! » comme s'il s'agissait d'une excellente nouvelle. Et c'en était une.

La première personne que j'engageai, Bob Gallo, était un étudiant en publicité. Outre l'assemblage des tores, son travail consistait à assurer la permanence en mon absence. Quand ils ont su que j'avais créé une société, plusieurs directeurs d'entreprise et des hauts fonctionnaires sont venus me voir à mon bureau. Bob était ahuri de voir arriver ces pontes accompagnés de leurs assistants. En mon absence, il leur offrait du café et s'efforçait d'aiguiller la conversation sur des sujets non techniques jusqu'à mon retour. Il m'a depuis expliqué que ces visiteurs lui avaient donné l'impression de travailler dans une compagnie plus importante qu'un simple laboratoire d'électronique.

Je profitai des dons artistiques de Bob pour lui demander de dessiner un logo pour la société. Comme je le payais alors cinquante-cinq cents de l'heure, le logo m'est revenu à moins de trois dollars et nous l'avons utilisé pendant près de vingt ans. Aujourd'hui, les entreprises dépensent des dizaines, sinon des centaines de milliers de dollars pour concevoir leur logo, ce qui m'incite à penser que j'ai fait une bonne affaire !

Au cours de ce premier mois, j'avais dépensé environ le tiers de mes économies, soit près de deux cents dollars. Cela aurait pu m'inquiéter, mais dès les semaines suivantes, les commandes ont commencé à affluer de façon assez régulière. La chance m'a souri à nouveau. En 1950, Harvard avait instauré un plan de retraite. Au moment de mon départ, deux mille dollars y avaient été versés à mon nom. Nullement désireuse de gérer cette petite somme pendant quelques décennies, l'administration m'a proposé de l'encaisser immédiatement, ce que je me suis empressé d'accepter.

Je disposais maintenant d'une réserve de plus de deux mille dollars, soit presque l'équivalent de mon salaire net annuel au laboratoire de Calcul. J'étais certain d'avoir de quoi vivre pendant un an, c'est-à-dire suffisamment longtemps pour voir si ma société allait subsister. Et, dans le cas contraire, je ne doutais pas de trouver du travail.

Lorsque j'ai débuté, notre fils Fred avait neuf mois. Nous avons eu depuis deux autres enfants : un fils, Courtney, et une fille, Juliette. Pendant ces années-là, Lorraine s'est consacrée en priorité à leur éducation. Les familles chinoises ont toujours accordé beaucoup d'importance à la réussite scolaire, et Lorraine a surveillé de très près le travail de nos enfants.

Quand Fred a été en âge d'aller à l'école, Lorraine a jugé insuffisant le niveau de l'enseignement public local et a souhaité que nous fassions le sacrifice de l'inscrire dans un cours privé. C'était en 1953 et les huit cents dollars par an que demandait la Shady Hill School à Cambridge (plus d'argent que ce dont je disposais quand j'ai démarré mon affaire) ont lourdement grevé notre budget pendant quelques années.

Bien que très attentifs à l'éducation de nos enfants, nous n'avons jamais essayé de les pousser dans une voie ou une autre. Nous n'avons pas insisté pour qu'ils se consacrent, par exemple, à la culture chinoise, même si nous désirions l'un et l'autre qu'ils connaissent la littérature et la pensée de leurs ancêtres. Indépendance plutôt qu'obéissance aveugle, voilà la qualité que nous voulions développer chez eux, surtout à partir du moment où ils étaient appelés à vivre aux Etats-Unis.

A la naissance de Fred, Lorraine et moi étions encore des citoyens chinois résidant en Amérique. Nous avions décidé d'y rester, mais nous n'étions pas encore sujets américains. Au milieu des années 1950, la République populaire de Chine a fait savoir qu'elle allait demander le rapatriement des étudiants restés aux Etats-Unis après la révolution. Nous avons été contactés par un agent du service d'immigration qui, dans un geste hautement apprécié, nous a proposé de devenir ressortissants américains, ce qui fut fait le 18 avril 1955. Né ici, Fred était automatiquement citoyen américain.

J'étais partagé à l'idée d'abandonner ma nationalité chinoise. Même si je détestais le régime au pouvoir, la Chine n'en demeurait pas moins ma patrie. Certes, l'Amérique était loin d'être une utopie ; elle connaissait même avec le maccarthysme une vague de paranoïa et d'irrationalité ; pourtant, il me semblait que son système économique et politique était le meilleur ; que si nous ne vivions peut-être pas toujours selon nos idéaux dans ce pays, il nous offrait, cependant, les structures nous permettant de réparer nos erreurs sans qu'il soit besoin de recourir à la révolution. Je suis réconforté de constater qu'aujourd'hui

Taiwan et la Chine commencent timidement à réparer leurs erreurs passées.

Je n'étais naturellement pas le premier à monter une société spécialisée en informatique, mais son champ d'action limité et son échelle modeste ont rendu mon démarrage très différent de beaucoup d'autres. En 1948, Eckert et Mauchly avaient fondé leur société et se proposaient de commercialiser leurs calculateurs, mais les dépenses énormes engagées dans l'étude et le développement de ce projet les avaient obligés à la vendre à Remington Brand en 1950, avant d'avoir pu achever leur premier appareil commercialisable, l'UNIVAC. Quelques années après les débuts de Wang Laboratories, Kenneth Olsen lançait, grâce à des capitaux extérieurs, Digital Equipment Corporation avec pour objectif la construction de mini-ordinateurs.

Contrairement à Eckert et Mauchly ou à Olsen, je n'avais ni l'ambition ni les énormes moyens financiers indispensables à la construction d'ordinateurs. Surtout, je ne voulais ni dépendre de financiers, ni devoir justifier constamment mes décisions devant eux. Je n'avais pas pour autant cessé de m'intéresser au traitement numérique de l'information, mais je le faisais en me demandant toujours si ces idées pouvaient être concrétisées par une entreprise disposant de peu de ressources.

Par exemple, pour établir le prix de mon premier compteur numérique, j'ai soigneusement calculé les coûts en matériel et en main-d'œuvre, plus un déchet de 15 %, ce qui se décomposait ainsi : matière première, 64 cents ; 19 minutes de travail, 66 cents ; frais généraux, 1.15 $; royalty, 25 cents ; soit un prix de revient de 2.70 $. Partant de cette base, je traçai une courbe allant de 4 $ l'unité pour les petites quantités jusqu'à 2.90 $ pour les livraisons de plus de 3000 unités, estimant que mon coût de produc-

100

tion serait divisé par deux en cas de commandes très importantes.

Ces chiffres n'ont rien à voir avec les millions de dollars en matériel et en main-d'œuvre que les premières sociétés d'ordinateurs consacraient au développement de leurs appareils. Mais j'avais d'autres raisons de me concentrer sur des applications limitées plutôt que sur des machines à usage plus général. Chacune de mes idées était basée sur l'utilisation de circuits numériques électroniques destinés à réaliser des fonctions spécifiques et à résoudre certains types de problèmes. Je procédai donc à des expériences sur les mémoires à tores, les registres à décalage, les circuits logiques et les affichages, et je réussis à trouver plusieurs procédés permettant de traduire toutes sortes d'entrées en signaux électriques et de les traiter. C'est ainsi que j'ai mis au point un tachymètre numérique. J'ai également essayé d'imaginer les clients potentiels d'un compteur numérique. Après réflexion, j'en ai proposé aux laboratoires de recherche nucléaire qui ont un très grand nombre d'opérations à effectuer pour tracer les diagrammes des taux de dégradation d'éléments variés.

J'étudiais ces différentes applications, tout en ne perdant pas de vue l'idée que l'électronique numérique faciliterait le travail des chercheurs. Je pris la peine de me renseigner sur les tâches fastidieuses qu'ils devaient accomplir — innombrables données à recenser, conserver et calculer — et imaginai les appareils pour les simplifier avant même, parfois, que quiconque au laboratoire ne se soit rendu compte que c'était ce dont ils avaient besoin.

Si bon nombre de ceux qui travaillaient sur les ordinateurs n'avaient qu'une idée : augmenter la puissance brute de leurs machines à mouliner les chiffres, je cherchais, pour ma part, à déterminer le nombre minimum de composants électriques nécessaires pour parvenir à un but donné. Ma philosophie ne consistait pas à mettre au point des machines tous usages avec l'espoir qu'elles seraient effectivement utiles, mais à fournir des solutions spécifiques dont l'intérêt serait évident pour l'utilisateur.

Un grand nombre d'idées dont la majorité étaient des adaptations de mes mémoires à tores ont germé dans mon esprit mais une grande partie n'a pas dépassé le stade de l'esquisse. Mais je me souviens du plaisir que j'ai pris à passer de longs moments à concevoir et à dessiner différents appareils de calcul électronique. Je ne m'inquiétais pas de savoir si cela marcherait ou non. Je m'acharnais sur une idée aux possibilités séduisantes, même si elle se révélait irréalisable. Mes ambitions étant limitées, je pouvais me permettre de commettre quelques erreurs ou de m'engager dans une impasse sans craindre de mettre mon affaire en danger. Quoique prudent, j'étais optimiste et je n'ai pas changé.

En décembre 1951, j'eus l'occasion de faire la première démonstration en public de mes inventions. J'empilai dans ma Buick quelques tores Deltamax et plusieurs compteurs numériques et, accompagné de Bob Gallo, je partis pour New York où se tenait une exposition organisée par l'IRE.

Le stand Wang (en tout et pour tout une simple table de bridge) vit défiler pas mal de monde. Le travail de Bob consistait essentiellement à faire patienter les visiteurs jusqu'à ce qu'ils puissent me parler. Il était passé maître en la matière. J'eus l'impression que ce que je présentais éveillait beaucoup de curiosité. Ce salon a suscité une avalanche de commandes, ce qui m'a convaincu de participer à d'autres salons.

Je me rappelle y avoir rencontré un jour l'un de mes collègues, Joe Gerber, le fondateur de Gerber Scientific Instruments. Nous nous sommes mutuellement congratulés de l'affluence à nos stands, tout en nous demandant si cet intérêt aurait des retombées positives sur nos ventes.

Pour accroître mes revenus, je donnai une série de cours du soir consacrés à l'ingénierie électrique à l'université de Northeastern pour la somme royale de douze dollars par conférence. L'un des cursus (Cooperative Education Program) de cette faculté obligeait les étudiants à partager leur temps entre le travail et l'étude. Comme le nombre de commandes augmentait, j'engageai l'un d'eux, David Miller, à mi-temps, pour m'aider à bobiner les Deltamax.

Cette année-là, mes finances ne furent pas brillantes. Par mesure d'économie, je cédai à une tentation qui, en définitive, me coûta cher. A cause des difficultés de stationnement, je garais ma voiture sur un terrain vague proche de mon bureau et cela me revenait à 50 cents par jour. Au bout de quelques mois, le propriétaire me proposa de diminuer le prix de moitié à condition que je lui verse trois mois d'avance. Je sautai sur l'occasion. Quinze jours après, l'homme avait disparu, pourvu sans doute d'un beau petit magot qu'il s'était constitué sur mon dos et sur celui d'autres gogos ! Avant cette mésaventure, je n'avais jamais pensé pouvoir me faire rouler de la sorte, mais je n'ai pas oublié la leçon : ce qui est trop beau pour être vrai ou légal, n'est bien souvent ni vrai ni légal.

Quand, en 1952, j'ai calculé mon revenu imposable, j'ai été ravi de découvrir que le montant de mes gains — trois mille deux cent cinquante-trois dollars soixante cents — entre juillet et décembre dépassait les deux mille sept cents dollars reçus du laboratoire de Calcul pendant les six mois précédents. Mes dépenses avaient été modestes, les plus importantes étant le loyer — quatre cent vingt dollars —, les frais de voyage et de séjour à New York — deux cent quatre-vingt-dix-huit dollars. C'était un début extrêmement modeste, mais à la fin de la première année, les liquidités couvraient largement les dépenses d'exploitation, et l'entreprise marchait suffisamment bien pour que l'on envisageât de continuer encore au moins un an.

A l'automne 1952, je décrochai un contrat de recherche pour une société de Cambridge (Mass.), le Laboratory of Electronics. On me demandait de mettre au point un synchronisateur d'impulsions et un compteur numérique moyennant trois cents dollars par semaine. C'était la première rentrée régulière d'argent depuis la création de la société.

Au fur et à mesure que les semaines passaient, je signais de plus en plus de contrats de ce genre. Beaucoup de ces projets correspondaient à des contrats gouvernementaux en sous-traitance. Par exemple, l'Institut National de la Santé m'avait demandé de trouver le moyen d'enregistrer automatiquement le nombre de globules rouges et blancs. Le petit appareil que j'ai conçu n'a jamais vu le jour, parce que le microscope qui aurait été capable de reconnaître et de compter les globules dépassait les possibilités de la technique optique de l'époque et les capacités financières du maître d'œuvre.

Malgré ces quelques accidents de parcours, je sentais qu'aucun de mes efforts n'était inutile, qu'un jour ou l'autre, l'expérience ainsi acquise servirait à des applications totalement différentes. J'ai apporté mes propres solutions à un certain nombre de problèmes d'électronique numérique : mise au point de programmes qui généraient des nombres sur un écran, circuits logiques ayant diverses applications, expérimentation de diverses formes de comptage, stockage et recherche de nombres et, dans tous les cas, j'essayais d'utiliser au mieux mes idées et les composants électriques.

Ces projets me ramenaient continuellement aux nombreuses questions que posait l'application de l'électronique aux opérations mathématiques, et dont certaines reviendraient sans cesse tout au long de ma carrière. Par exemple, en travaillant à la conception d'un télémètre automatique, j'ai été confronté au problème des multiplications que j'ai résolu grâce aux logarithmes (base de la règle à calcul). Dix ans plus tard, cette façon d'additionner des logarithmes pour faire des multiplications m'a permis de créer une calculatrice, le premier produit largement commercialisé de Wang Laboratories. Alors originale en électronique numérique, cette méthode d'addition m'avait été suggérée par mes expériences précédentes.

Tous ces projets m'ont permis de me spécialiser en électronique numérique, ce qui allait s'avérer très utile lorsque la société proposerait des technologies plus ambitieuses. Avec le temps, ces premiers mois m'apparaissent comme une période d'incubation au cours de laquelle j'ai appris à connaître les débouchés offerts par l'électronique, à gérer correctement une affaire et à maintenir des finances saines. Les innovations technologiques m'intéressaient, mais surtout dans la mesure où elles coïncidaient avec les besoins du marché. Je peux même affirmer que c'est devenu le trait caractéristique de ma société.

Ma modération et ma patience se sont révélées payantes. Dès les premières années, l'entreprise a connu une croissance régulière, mais elle avait démarré si modestement que je n'ai pas eu de mal à m'adapter à chacune de ses étapes. Si j'ai commis quelques erreurs, elles sont restées à l'échelle de la maison et ne l'ont pas mise en péril. La seule menace qui pesait contre la ligne sans prétention que je lui avais imprimée à ses débuts ne vint pas de ces erreurs — ni même d'échecs — mais du fait que mes mémoires à tores ont fini par attirer l'attention de la plus puissante compagnie du pays, IBM. Une correspondance s'en est suivie entraînant des rapports qui, sous des formes variées, existent encore aujourd'hui.

6

Premières escarmouches avec IBM

Grandes ou petites, les sociétés d'informatique du monde entier ont un point commun : elles doivent, à un moment ou à un autre, traiter avec IBM, que cette compagnie multimilliardaire décide, à un instant donné, d'accéder à tel ou tel marché, ou qu'elle le domine déjà. Perspective qu'aucun dirigeant ne prend à la légère.

Si, dans mon cas, j'ai bénéficié d'un avantage sur mes collègues, cela tient au fait que mes relations avec cette société remontent à trente-cinq ans, bien avant qu'IBM ne se soit lancée dans les ordinateurs de gestion. D'ailleurs, mon invention a joué un rôle dans son entrée sur ce marché. Les négociations qui lui ont permis d'utiliser mes mémoires à tores ont été une véritable partie de poker. Ces premiers contacts m'ont donné un aperçu de sa façon de travailler, ce qui m'a beaucoup servi plus tard, quand la croissance de mon entreprise m'a amené à me trouver en concurrence avec ce Goliath.

Avant même de créer Wang Laboratories, j'avais écrit à IBM pour savoir si elle serait intéressée par l'achat d'une

107

licence pour exploiter mon brevet — alors en instance. En juin 1951, je reçus une réponse de M. J.A. Little, directeur des études de marché, me disant, entre autres choses, qu'il aimerait examiner ma demande de brevet avant de prendre une décision. Je la lui ai donc envoyée, inaugurant ainsi une longue correspondance. Je commençai à recevoir des lettres émanant de directeurs de plusieurs départements dont certaines prouvaient qu'ils ignoraient que j'avais déjà envoyé ce document. Par exemple, en 1952 — soit un an plus tard — M. H.F. Martin sollicitait par écrit des informations sur les mémoires magnétiques statiques. A ce moment-là, il semblait très probable que les tores magnétiques disposés en matrice allaient apporter la meilleure solution au problème des mémoires à grande capacité.

Je ne le savais pas, mais à cette époque, on travaillait déjà chez IBM à la mise au point des mémoires matricielles. Il apparut rapidement que ses dirigeants portaient à l'affaire un intérêt bien plus marqué que leurs lettres anodines ne le laissaient entrevoir. Comme, en outre, j'étais sur le point d'obtenir un brevet fondamental, Marty Kirkpatrick estimait qu'il valait mieux éviter de donner trop de détails sur mon invention tant qu'un accord m'assurant une certaine protection ne serait pas signé — ou plutôt qu'il fallait laisser entendre que *quelqu'un* à IBM était déjà en possession de l'information qu'ils cherchaient. J'étais de son avis.

Nullement découragée, la compagnie m'envoya en juillet l'un de ses cadres supérieurs, H.R. Keith, le futur directeur du département Service Bureau. (Département qu'IBM sera obligée de céder à Control Data à l'issue du procès antitrust intenté par cette société.) A ce moment-là, Keith dépendait directement de J.W. Birkenstock, homme de confiance et médiateur de Thomas Watson Jr., directeur général d'IBM (Birkenstock, qui semblait être le principal responsable des achats de brevets et licences, a finalement pris en mains les négociations.). Keith a été le premier à rendre visite à Wang Laboratories et je ne doute pas de sa surprise quand il a constaté qu'il s'agissait d'une affaire menée par un seul homme et installée dans une sorte de hangar ! Il a aussi été le premier à avoir, dans le courant de l'année, abordé l'éventualité d'acheter une licence de mon brevet. Le 24 décembre 1952, le service des brevets d'IBM m'écrivit pour me réclamer des renseignements sur les trois nouvelles revendications que j'avais déposées dans ma demande. Une fois encore, conseillé par Marty, je refusai. Nous n'étions parvenus à aucun accord et je ne voulais pas dévoiler toutes mes cartes.

Un an après le début des discussions, Marty Kirkpatrick et moi avons proposé une sorte de compromis : IBM m'engageait comme conseiller. L'idée était que je concevrai un moyen pour utiliser mes tores magnétiques pour réaliser une fonction mémoire dans un calculateur électronique, le 604, qui utilisait des cartes perforées et des tubes à vide pour le stockage de l'information. A ce stade des négociations, on me proposa de me verser une royalty de un penny par bit d'information stockée. Malheureusement, cette proposition n'a jamais été consignée par écrit. Avec le temps, cela se serait chiffré en millions de dollars !

Au bout de plusieurs mois de tractations, nous avons enfin signé un accord le 16 novembre 1953 en vertu duquel j'acceptais d'être consultant chez IBM et lui donnais une option de trois ans pour l'achat d'une licence non-exclusive sur les tores et les circuits de tores définis dans mes demandes de brevet.

Ce poste me garantissait un revenu mensuel de mille dollars pendant toute la durée de l'option. Cette somme, importante à l'époque, assurait la stabilité financière de ma jeune entreprise, tout en ne me prenant qu'une semaine par mois. Je remplis les termes de mon contrat : mise au point d'une calculatrice basée sur des tores magnétiques, remise de rapports et comptabilisation du temps passé à ce projet. Cependant, je ne pense pas qu'IBM ait été vraiment intéressée par ce programme. Je crois que son but réel était, d'abord, l'option sur mon brevet, ensuite, la possibilité de connaître mes idées sur les différentes applications des tores magnétiques. Née d'une lettre de M. Keith réclamant ma demande de brevet et les documents y afférents « le plus rapidement possible », cette impression s'est trouvée confirmée par plusieurs visites de techniciens d'IBM à mon bureau : ils me posaient des questions sur telle application particulière des tores, s'en allaient, pour revenir un mois ou deux plus tard m'interroger sur les perspectives de telle autre application.

J'étais étonné de la lenteur d'IBM à se rendre compte du large éventail des utilisations d'un procédé de mémorisation stable. M. Keith lui-même me l'a fait remarquer. Avec les immenses ressources dont elle disposait, cette société aurait dû très vite me dépasser dans ce domaine. Au contraire, elle semblait avancer avec des semelles de plomb. J'en conclus qu'IBM était plutôt timorée sur le plan technologique et que sa lenteur me permettrait d'entrer en concurrence loyale avec elle, malgré sa taille.

Tandis qu'IBM m'envoyait ses conseillers techniques, elle engageait des moyens considérables pour mettre au point la mémoire matricielle, cette invention du Dr. Forrester. En fait, c'était ce travail, mené conjointement par IBM et le MIT, qui avait accru l'intérêt de cette maison pour mon brevet.

En juillet 1952, le Dr. Forrester et son équipe avaient choisi IBM pour fabriquer le système de calcul numérique

110

destiné à un ordinateur que leur avait commandé la défense aérienne. Appelé SAGE, ce projet représentait un énorme investissement. En novembre 1953, date de la signature de mon protocole d'accord avec IBM, celle-ci avait déjà affecté trois cents personnes à sa part du projet.

L'idée de Forrester de développer une mémoire matricielle à accès sélectif datait de 1949. Bill Papian, l'un de ses associés, m'avait souvent rendu visite au laboratoire de Calcul pour se familiariser avec les principes de mes mémoires à tores. En combinant l'idée de la matrice et celle de ma mémoire magnétique, Papian, Forrester et les chercheurs d'IBM augmentèrent rapidement la capacité de la mémoire interne des ordinateurs. En 1951, la plus étendue contenait à peine quelques centaines de bits de données. En 1953, le MIT expérimentait un ordinateur dont la mémoire principale, basée sur une matrice de 32x32x17 tores de ferrite, contenait 17 408 bits ; et, en août, son groupe de travail remplaçait la mémoire à tube de Williams (une forme de stockage électrostatique) de la Whirlwind I — son calculateur — par cette matrice à tores de ferrite. Chaque progrès dans le domaine des mémoires matricielles valorisait un peu plus mon brevet, toujours en instance.

Si IBM participait au projet SAGE, ce n'était pas uniquement par amour du progrès technique, mais parce qu'elle y voyait la possibilité de développer les mémoires à tores à des fins commerciales et avait compris, vers le milieu de 1954, l'intérêt des tores de ferrite pour ses machines.

A l'époque, j'ignorais tout de cette activité. Mais, quand en 1955, IBM s'est orientée vers la commercialisation d'ordinateurs, la question de savoir si elle pourrait exercer ou non son option sur mon invention a pris une importance majeure. Les manières prudentes et circonspectes de la compagnie m'incitaient à penser qu'elle consacrait beaucoup d'énergie à évaluer du point de vue de la rentabilité les brevets les plus déterminants et l'inventeur le plus intéressant.

Un exemple : ayant déposé sa demande en mai 1951, Forrester était plongé dans une longue bataille de revendications avec Jan Rajchman de RCA qui, lui, avait déposé la sienne avec des revendications similaires le 30 septembre 1950. Comme la mienne était antérieure et comprenait des revendications tellement générales qu'elles recouvraient tout le brevet de Forrester relatif au stockage magnétique, IBM tenait à savoir si mes revendications allaient être acceptées ou si elles pouvaient être remises en question par une tierce personne.

Entre 1952 et 1955, Marty Kirkpatrick et moi avons dû apporter un grand nombre de modifications à ma demande pour satisfaire aux exigences du Bureau des Brevets. Ainsi, en juin 1953, celui-ci m'obligea à mentionner une publication de la Moor School of Electrical Engineering se référant, pour son projet EDVAC, à des possibilités de stockage magnétique (sans spécifier la façon dont cela pourrait se faire). Ce fut la seule référence à une technique antérieure pertinente, mais cette information inattendue nous a surpris et contraint à amender deux revendications plus générales. En janvier 1955, le Bureau des Brevets a accepté trente-quatre de mes revendications et en avril, il a informé Marty qu'à dater du 17 mai 1955, je serai titulaire du brevet n° 2.708.722.

Mais juste avant cette annonce, j'avais pu avoir un aperçu de l'habileté manœuvrière d'IBM. Je suis sûr en effet que cette compagnie aurait été capable de prouver que tout ce que mes avocats et moi-même considérions comme des tentatives d'intimidation n'était que volonté de déterminer la valeur de ce qu'elle s'apprêtait à acheter.

Cependant, le calendrier et le bluff ont joué un rôle important dans nos négociations qui ont été modifiées à la dernière minute par un incident parfaitement imprévu et — j'en suis convaincu aujourd'hui — délibérément provoqué par IBM.

Au début de mai 1955, lorsqu'il devint évident que les trente-quatre revendications figurant dans ma demande me seraient accordées, M. Keith écrivit à Marty pour lui annoncer qu'IBM aimerait discuter de son option sur mon invention. En effet, pendant un an après l'acceptation du brevet, le Bureau des brevets peut, sur requête, signifier une antériorité. Pour nous, cela voulait dire que, pendant nos négociations, une procédure d'interférence pouvait s'engager à tout instant. D'un côté, cette contrainte poussait IBM, déjà très engagée dans les mémoires magnétiques, à aboutir à un accord avec moi avant la fin du délai : en cas d'interférence, je conserverais quand même un grand nombre de mes revendications et, s'il n'y en avait aucune, dès le 17 mai 1956, date limite de recevabilité d'une procédure d'interférence, je serais pratiquement en position de dicter mes conditions. De l'autre, cette année d'attente donnait à IBM la possibilité de brandir le spectre d'antériorités éventuelles et des frais judiciaires énormes que cela entraînerait, d'où un sentiment d'insécurité pour moi.

Toutefois, ce n'est pas ce problème qui a d'abord été soulevé. Nos discussions ont porté essentiellement sur les royalties, remettant en cause l'accord si péniblement conclu en 1953. IBM a carrément déclaré que, étant donné le nombre de tores nécessaires à la production généralisée des ordinateurs, la redevance fixée était trop lourde.

La décision d'IBM de renier les clauses de l'accord initial nous a amenés à envisager de vendre le brevet à quelqu'un d'autre. Le cabinet Fish, Richardson & Neave contacta Research Corporation, une société réunissant plusieurs universités afin d'assurer la commercialisation de leurs inventions et de reverser une partie des royalties sous forme de bourses ou d'allocations de recherche. Nous nous sommes rapidement rendus compte que cette solution ne nous convenait pas, parce que ce groupe en venait à conserver un pourcentage important des bénéfices réalisés sur les brevets qu'il exploitait. Il ne nous restait donc plus qu'à trouver un arrangement avec IBM.

A la fin de l'été 1955, nous avons essayé de négocier soit un calendrier des royalties, soit un achat forfaitaire du brevet. Nous avons alors proposé la somme de deux millions et demi de dollars. M. Keith nous a répondu que « même la moitié, c'était encore trop ».

Au début de l'automne, un changement subtil de climat s'opéra. Le 3 octobre, M. Kent, de Fish, Richardson & Neave, reçut une lettre de M. Keith proposant d'acheter mon brevet cinq cent mille dollars et de me verser 70 % de tous les droits provenant de la vente de licences à des tiers. Cette proposition avait été ébauchée au cours d'une réunion entre le cabinet Fish et le représentant d'IBM, et j'étais disposé à en accepter les modalités. Cependant, M. Keith ajoutait à cette offre un certain nombre de clauses « destinées à assurer une protection à IBM en cas de contestation victorieuse par un tiers. » Elles stipulaient que je garantisse la date de mon invention et sa brevetabilité. De plus, en cas d'interférence, je devais accepter un moratoire sur les paiements jusqu'à l'issue de la procédure ; enfin, si le brevet était dûment attaqué, il me faudrait rembourser 40 % de la somme jusque-là encaissée.

Ces termes me paraissant inacceptables, nous nous sommes retrouvés dans une impasse. Nous avons alors proposé à IBM de mener une enquête conjointe pour recher-

114

cher les menaces potentielles pesant sur le brevet. Cette procédure n'avait rien d'inhabituel ; si j'avais été à la place d'IBM, c'est certainement ce que j'aurais fait.

A ce moment-là, la compagnie a soulevé trois objections majeures : le projet EDVAC pouvait se prévaloir d'antériorité par rapport à certaines de mes revendications ; le Dr. Aiken pouvait revendiquer l'invention comme sienne ; enfin, Way Dong Woo pouvait exiger d'en partager le mérite. Je dois dire que ces craintes ne m'inquiétaient nullement. Même si les ingénieurs travaillant à l'EDVAC avaient envisagé la possibilité d'utiliser les variations des flux magnétiques comme moyen de conserver l'information, ils n'avaient rien publié sur la manière de le réaliser. Aucune de leurs publications n'évoquait la mise en mémoire, ni la lecture destructive ni la réécriture, bases de mon invention. Je savais aussi pertinemment que la conception même de ce brevet n'appartenait qu'à moi.

Les craintes d'IBM au sujet des Drs. Aiken et Woo venaient du fait qu'ils avaient été l'un et l'autre mes supérieurs à l'époque où le laboratoire de Calcul travaillait sur le MARK IV et que le Dr.Woo et moi-même avions co-signé un article sur le stockage magnétique. De plus, sachant combien le Dr. Aiken tenait à ce que toute découverte faite dans le cadre universitaire reste dans le domaine public, la compagnie redoutait qu'il ne décide soudain d'attaquer mon brevet.

Dans le cadre de l'enquête, Marty Kirkpatrick recueillit des témoignages — sous la foi du serment — d'un certain nombre de mes collègues de Harvard, mais ne put interviewer ni M. Woo, trop malade pour le recevoir, ni M. Aiken qui refusa tout entretien. Comme je m'y attendais, les attestations de mes collègues ne contenaient aucune indication susceptible de laisser croire que je n'étais pas l'unique auteur de cette invention. De son côté, IBM chargea également un autre cabinet juridique d'étudier la possibilité d'une récusation de mon brevet par les concepteurs de l'EDVAC.

La société dressa une liste de cinquante-huit questions qu'elle présenta à M. Kent. J'en pris connaissance vers le 15 novembre 1955. Ces questions abordaient ma demande sous tous les angles possibles. Le document émettait même des doutes sur la date de divulgation du brevet : 12 juin 1948. S'étant aperçu, après vérification, que le 12 tombait un samedi, quelqu'un à IBM avait déclaré que le laboratoire de Calcul ne travaillait pas pendant le week-end, ce qui était faux.

Un grand nombre de ces questions n'étaient pas pertinentes (l'une d'elles, par exemple, demandait quand j'avais appris l'existence du Permanorm 5000-Z, le matériau utilisé pour les tores) ; certaines n'étaient pas de mon ressort (Aiken avait-il assisté à tel séminaire ?) ; quant aux autres, je pouvais soit y répondre directement, soit demander à Marty de le faire, grâce aux déclarations sous serment de mes collègues. Devant mon refus d'accepter les nouvelles clauses restrictives, IBM affirmait officiellement vouloir se rassurer en me transmettant cette liste de questions, tout en me faisant comprendre qu'il était toujours possible d'émettre des doutes sur un brevet, même si son inventeur considère sa position tout à fait inattaquable.

Néanmoins, Marty et moi y avons répondu loyalement. Rien ne s'opposait plus après cela, à la signature d'un accord, d'autant plus que je croyais — apparemment à tort — que l'option d'IBM expirait en février 1956.

Une fois encore, cette compagnie nous réservait quelques surprises. Au début du mois de janvier, elle fit valoir une clause oubliée de notre accord, qui lui donnait un délai de quatre mois après l'expiration de l'option pour acheter le brevet. Simultanément, nous avons été avisés qu'en dépit de cette clause, IBM était disposée à conclure sur-le-champ une transaction. Peu de temps après, au cours d'une conversation avec M. Kent, M. A.R. Noll, le chef du service des brevets d'IBM, lança sa bombe... Le passage suivant est extrait d'une lettre de M. Kent adressée le 18 janvier 1956 à M. Birkenstock :

« ... Aux termes d'un accord mutuel, une enquête a été entreprise conjointement en vue de vérifier si les questions soulevées par IBM et aboutissant à des demandes de garantie pouvaient être résolues. En ce qui nous concerne, cette enquête a été menée à bien. Cependant, nous comprenons que IBM souhaite encore rencontrer le Dr. Woo ; IBM a également découvert qu'une tierce personne avait déposé une demande de brevet qui risque d'entraîner une interférence... M. Noll n'est pas accrédité pour nous informer des faits relatifs à cette interférence possible. »

Cette « tierce personne » était un certain Frederick W. Viehe, un inspecteur des travaux publics de Los Angeles. Aucun de nous n'en avait jamais entendu parler. Mais nous avons vite appris que cet inventeur avait déjà un certain nombre de brevets à son actif et qu'il était engagé dans des procédures d'interférence contre de grandes compagnies, telles que General Electric et AMF.

Cette révélation fut un choc pour mes avocats et moi-même. Nous nous étions concentrés sur les réponses à apporter aux questions d'IBM et nous ne nous attendions guère à cette mauvaise surprise. D'autant qu'elle ne nous aida pas à comprendre l'attitude d'IBM pendant les semaines suivantes. Des mois durant, cette compagnie avait freiné au maximum les négociations, arguant de la fragilité de mon brevet et, maintenant qu'elle avait découvert un risque d'interférence, elle n'avait plus qu'une idée : aboutir au plus vite à un accord avec moi. Pourquoi ? Depuis, certains événements m'ont donné à penser qu'elle en savait davantage sur le brevet de M. Viehe qu'elle n'a bien voulu nous le dire à l'époque.

Si ce brevet avait été mon seul actif, j'aurais pu envisager de passer le reste de mes jours à protéger mon brevet, mais ce n'était pas le cas. J'avais déjà perdu beaucoup de temps en négociations et mon travail s'en ressentait. Mon poste de consultant expirait avec l'option d'IBM et j'avais hâte de me consacrer à d'autres projets. Aurais-je été en meilleurs termes avec IBM, j'aurais pu concevoir de continuer à négocier avec cette compagnie, ou avec une autre.

D'autre part, j'ignorais le contenu de la demande de brevet de M. Viehe, je ne savais pas si sa réclamation éventuelle était fondée, si elle aurait lieu et quand. L'interférence pourrait se produire à n'importe quel moment avant la date limite de dépôt fixée au 16 mai.

Si je ne parvenais pas à m'entendre avec IBM, je devrais me lancer dans la bataille avec mes propres fonds qui, à l'époque, étaient maigres. Bien plus, étant donnée l'attitude d'IBM, il se pouvait bien qu'en cas d'interférence, cette compagnie passe dans le camp adverse et utilise contre moi toute son agressivité et ses ressources, dont j'avais pu entrevoir le potentiel durant les négociations.

Evidemment, si j'en sortais vainqueur, je me trouverais dans une position plus forte, compte tenu de l'importance des tores magnétiques et de ma certitude de conserver une partie au moins de mes revendications, mais cela voudrait dire s'engager dans une longue et épuisante bataille.

En revanche, si j'acceptais l'offre d'IBM, je recevrais cinq cent mille dollars, ce qui en 1956 représentait une grosse somme, et lui laisserais porter le poids financier de la procédure d'interférence, si tant est qu'il y en ait une.

A la lumière de ces considérations, je décidai qu'il serait de mon intérêt — et de celui de ma société — de parvenir à un accord avec IBM, même si cela impliquait de transiger sur certaines conditions qui m'avaient paru inadmissibles. J'aurais préféré obtenir le maximum de mon brevet, mais si je concluais les tractations avec une perte de 20 % par rapport à mes espérances, la vie ne s'arrêterait pas pour autant, et j'avais d'autres projets en tête.

A partir de là, tout s'est passé très vite et sans surprise. Le 2 mars 1956, nous avons reçu un projet d'accord prévoyant un échéancier du versement des cinq cent mille dollars et précisant les huit conditions susceptibles d'entraîner la retenue des derniers cent mille dollars. Je signai l'accord et, le 6 mars 1956, je cédai le brevet n° 2.708.722 à IBM. Avec un revenu annuel de plus de trois cent millions de dollars, cette compagnie était, à l'époque, dix mille fois plus importante que Wang Laboratories.

L'une des conditions permettant à IBM de ne pas honorer le dernier versement de cent mille dollars était la suivante :

« 5a : Déclaration d'interférence impliquant le brevet ou n'importe laquelle de ses revendications. »

Ce cas se produisit le 2 mai 1956, soit deux semaines exactement avant l'expiration de la date limite. Marty Kirpatrick reçut une lettre de l'inspecteur des brevets notifiant que mon brevet avait été reconnu comme interférant avec la demande de Frederick Viehe relative à un relais électronique, déposée le 29 mai 1947. L'avis précisait que seize de mes trente-quatre revendications étaient concernées par cette interférence.

La récusation la plus fréquente porte sur la question d'antériorité. Ici, c'était différent. La contestation ne portait pas sur le fait que M. Viehe ait été le premier inventeur, puisqu'il avait déposé sa demande un an avant que je n'entre au laboratoire de Calcul. Il s'agissait d'étudier si sa demande recouvrait la mienne. Et, au premier abord, cela ne semblait pas facile. En effet, sa demande remplissait cinq cent cinquante pages et comprenait deux cent cinquante revendications.

Comme le cabinet Fish, Richardson & Neave s'était occupé de mon brevet, IBM — à qui incombait maintenant ma défense — lui confia l'étude de l'interférence. Elle dura dix-huit mois et exigea l'examen de plusieurs centaines de pages de documents.

Je n'entrerai pas dans les détails, terriblement techniques, mais en gros, il fallait savoir si les circuits de relais électroniques de Viehe étaient susceptibles d'inclure un dispositif utilisant les variations des flux magnétiques pour enregistrer, lire, détruire et réécrire l'information dans les tores, comme cela était stipulé dans mes revendications.

Dans un premier temps, le Bureau des Brevets accorda à Viehe cinq de mes seize revendications, ce qui m'en laissait encore une bonne partie ; mais je voulais aller plus loin dans cette affaire, car, selon moi, Viehe ne devait pas en obtenir *une seule*. Finalement, la commission des Interférences — ultime instance du Bureau des Brevets — nous a accordé une dernière audience. (Ensuite, il est toujours possible de faire appel auprès des tribunaux fédéraux.)

Cependant, après cette entrevue, et alors que nous attendions la décision de la commission, un événement se produisit qui m'amena à m'interroger sur cette interférence et les véritables mobiles d'IBM. En novembre 1957, nous avons été avisés que Viehe avait cédé à IBM tous droits et titre sur sa demande de brevet. Au premier abord, cette nouvelle nous parut catastrophique, parce que cela signifiait qu'il s'agissait à présent d'une affaire opposant IBM à IBM. Nous tenions donc à ce que la commission prenne une décision. Comme elle avait déjà recueilli tous les témoignages, elle rendit son verdict en se basant sur « les mérites des questions posées et des arguments présentés lors de la dernière audience. »

Le 29 décembre 1959, la commission me donna raison pour tous les articles, sauf le quinzième qu'elle accorda à Viehe uniquement parce que je n'avais pas précisé la fonction d'un redresseur dans l'invention particulière à laquelle cette revendication faisait référence. Selon la commission, sans cette spécification, ma revendication tombait dans la description de la liaison électrique contenue dans celle de Viehe. J'aurais souhaité discuter ce point également, mais comme IBM possédait les deux brevets, ce n'était pas possible. En réalité, je crois que si IBM est allée aussi loin, c'est par crainte d'avoir des problèmes avec la loi anti-trust.

Nous sommes donc sortis de cette procédure sans dommage pour le brevet. Pour moi, le fait qu'IBM ait acheté le titre de Viehe soulevait une série de questions. Quand la compagnie avait-elle, pour la première fois, pris connaissance de cette demande ? Quelles étaient ses relations avec Viehe pendant les derniers mois de sa négociation avec moi ? (Point important, car un tiers ne peut examiner une demande de brevet que lorsqu'une interférence est déposée.) Où Viehe avait-il pris l'idée de récuser mon brevet ?

Cette affaire me privant de cent mille dollars, je pouvais nourrir quelques soupçons. Mais Marty Kirkpatrick et Charles Goodhue, un collaborateur puis un associé du cabinet juridique Goodwin, Procter & Hoar, me démontrèrent que, si j'engageais un procès tendant à prouver qu'IBM avait été mêlée à la décision de Viehe de contester mon brevet, les frais s'élèveraient à une somme considérable avec peu de chance de succès. Lorsqu'on lui posa la question, IBM soutint, comme elle l'avait déjà fait, qu'elle avait rencontré l'avocat de Viehe, Red Lawlor, (elle n'a jamais voulu nous dire quand), qu'ils avaient discuté de la demande de brevet, mais que Lawlor avait refusé de la leur montrer.

Le bruit a couru qu'IBM avait versé un million de dollars à Viehe. Ce dernier est décédé en 1960, à l'âge de quarante-huit ans, avant la publication de son brevet le 31 janvier 1961. Il avait trouvé la mort dans le désert au cours d'une expédition géologique. Relatant sa disparition, l'agence de presse UPI signalait que l'inspecteur des travaux publics laissait une fortune de six cent vingt-cinq mille dollars et ajoutait ces précisions :« Selon une déclaration de T. Gregg Evans, l'un des avocats de Mme Viehe, Viehe s'était enrichi en vendant une invention dont il avait juré de garder le secret total, refusant même d'indiquer le nom de l'acquéreur. Cette vente forfaitaire comportait une clause stipulant que M. et Mme Viehe ne divulgueraient jamais le nom du bénéficiaire. »

Par la suite, le fils de Viehe désigna IBM comme étant l'acheteur. Ce voile de mystère n'a fait qu'aggraver mes soupçons. Quinze ans plus tard, interrogé par David Gardner, un journaliste de *Datamation*, un des avocats de Viehe éludait toujours la question, se contentant d'indiquer qu'ils avaient juré de ne rien dire. Puisque IBM n'avait jamais rien exigé de tel pendant nos négociations, ce silence m'a laissé l'impression que les conditions de la vente pouvaient être embarrassantes pour l'acquéreur : IBM.

A mon avis, cette société a cru qu'il lui reviendrait moins cher d'acheter nos deux brevets plutôt qu'un seul, même si l'un devait se révéler plus intéressant que l'autre ; et elle s'en est servi pour inquiéter chacun de nous afin de faire baisser les prix.

Quelques années plus tard, David Gardner m'a communiqué une note utilisée lors d'une bataille juridique autour de la mémoire matricielle. Ecrite par J. William Hinkley — aujourd'hui disparu — de Research Corporation, elle citait les différentes réunions auxquelles avaient participé Thomas Watson Jr., et James Birkenstock d'IBM. Voici ce qu'écrivait Hinkley : « Un jour, au cours d'une discussion entre Birkenstock, Julius Stratton (alors président du MIT) et Watson, Birkenstock a dit qu'il avait sans doute insuffisamment payé les brevets de Wang et de Viehe... étant donné le développement extraordinaire de l'informatique. Il voulait souligner ainsi à quel point il s'était montré habile négociateur, mais il a été sèchement remis à sa place par Watson. »

Si j'estimais qu'il aurait été plus agréable de voir mon brevet payé à sa juste valeur, j'avais des choses plus importantes à faire qu'à dépenser mon énergie et mon argent en querelles de procédures. Que la somme de quatre cent mille dollars ait représenté 80 % ou 8 % de ce que valait réellement mon invention en 1956, elle m'a tout de même rendu riche d'un seul coup, car à l'époque, le revenu annuel de Wang Laboratories était de dix mille dollars.

L'énergie que j'aurais déployée à lutter contre IBM, je l'ai utilisée à développer de nouvelles idées et de nouvelles orientations. Penser uniquement au brevet aurait peut-être fini par me persuader que c'était la seule bonne idée que j'étais capable d'avoir, or, il n'en était rien. Plus d'une société s'est retrouvée pénalisée par l'obsession de son dirigeant à vouloir réparer une injustice ou faire aboutir un projet.

Je doute qu'après cette négociation, quelqu'un ait pu penser ici qu'IBM aurait encore affaire à moi ou à Wang Laboratories. Après tout, je disposais maintenant de suffisamment d'argent pour mener une vie agréable, et ma firme pouvait continuer à explorer le marché de l'électronique. Si j'avais dit aux dirigeants d'IBM que la petite entreprise Wang Laboratories se trouverait un jour en concurrence directe avec eux, ils m'auraient, à juste titre, pris pour un fou. Naturellement, je n'ai jamais fait cette prédiction, et pourtant, c'est exactement ce qui est arrivé.

Mes premières escarmouches avec IBM m'ont initié au style de combat de cette compagnie où tous les coups sont permis. Depuis, nous nous sommes affrontés plusieurs fois et je ne peux pas dire que la compagnie ait adouci ses méthodes. Mais plus le temps passe, plus Wang Laboratories se trouve en meilleure position pour mener ces batailles

7
Mésalliances

En affaires comme en technologie, j'adopte la même attitude à l'égard des erreurs ou des échecs : je les crois inévitables, mais utiles. Aller de l'avant comporte des risques. L'important, c'est de pouvoir s'adapter et de se diversifier suffisamment de façon à ce qu'une seule erreur ne compromette pas l'avenir.

J'ai appris cette leçon après deux expériences vécues. Dans les années qui ont suivi la vente du brevet à IBM, Wang est passé peu à peu du statut d'entreprise à vocation de conseil en électronique numérique, à celui de constructeur et vendeur de ses *propres* produits. Société de conseil, nous n'avions besoin ni de réseau de ventes, ni d'importantes unités de fabrication, ni de service après-vente. Mais, plus tard, lorsque nous nous sommes orientés vers la commercialisation de nos appareils, nous avons dû assumer toutes ces activités, et bien d'autres encore.

Cette transition ne s'est pas faite sans faux-pas. L'un d'eux, que j'aurais pu éviter, me conduisit à m'allier à une société à laquelle je cédai 25 % du capital de Wang, sans toutefois en perdre le contrôle. Peu de temps après, je m'associai à une autre firme afin de développer un système de photocomposition. Cette machine, la Linasec, a été une grande réussite, au point que notre partenaire a décidé et de la fabriquer et de la commercialiser lui-même. On peut attribuer ces deux expériences malheureuses au manque de chance mais, à la réflexion, je crois que ces décisions, prises à un moment critique de la croissance de mon entreprise, ont été des leçons qui, mieux que tous les cours de gestion, m'ont aidé à la diriger ensuite avec plus d'efficacité.

A la fin des années 1950, mon engagement de conseiller chez IBM se terminant, je m'efforçai de signer avec le gouvernement des contrats qui m'assureraient des rentrées régulières d'argent. Mais, à bien des égards, cette activité fut décevante. L'un des intérêts majeurs de transformer une idée en application pratique, en une machine par exemple, c'est de la voir utilisée tous les jours. Or, je dépensais beaucoup de temps et d'énergie pour honorer une commande, mais les résultats de mes travaux disparaissaient, purement et simplement dans les oubliettes de la bureaucratie.

Outre les frustrations qu'elle m'occasionnait, cette tendance de l'Administration à passer des projets à la trappe me privait de toute une information en retour des utilisateurs indispensable au processus d'innovation. On aime savoir si un appareil accomplit ou non les performances prévues, connaître les réactions de l'utilisateur. C'est pourquoi, j'en vins à la conclusion que si ma société voulait devenir compétitive, il était non seulement frustrant, mais malsain de trop dépendre des marchés publics. Cependant, certains de ces marchés m'ont inspiré le principe du premier produit Wang.

Dès 1954, j'avais réfléchi au problème de transposition des mesures angulaires en impulsions électroniques comprises par un calculateur numérique. Je m'attaquais à une question terriblement complexe, mais je savais que de sa solution dépendait une multitude d'applications. Je m'intéressais alors à la mise au point d'un dispositif numérique de navigation pour avions. Bien que ce projet n'ait jamais vu le jour, je trouvai comment affecter un écho sur un CRT (écran) à chaque point d'une boussole, en d'autres termes, une façon de traduire les mesures angulaires en impulsions électroniques digitales.

Quelques années plus tard, j'ai passé un contrat avec l'Air Force en vue d'étudier un procédé permettant aux aéroports de mesurer le plafond nuageux. Je me suis penché à nouveau sur le problème du codage numérique des mesures angulaires et j'ai construit ce que j'ai appelé un codeur d'angles. Cette fois, j'ai été aidé par la percée, dans le domaine de l'électronique, du transistor, enfin au stade de l'application industrielle.

Le transistor a permis de rassembler les composants électriques en modules pouvant, à leur tour, être reliés entre eux sur des cartes de circuits imprimés. On pouvait, ainsi, fabriquer des cartes accomplissant des fonctions logiques de base, d'où leur nom de *cartes logiques*. Si Computer Control Corporation était à l'époque la société la plus importante à produire ces cartes, ancêtres des puces actuelles, DEC, dont la création remontait à deux ans à peine, avait commencé d'en fabriquer. Et Wang Laboratories aussi. En travaillant au projet de l'Air Force, j'ai pensé que certaines sociétés seraient peut-être intéressées par ces cartes qui leur permettraient de réaliser leurs propres assemblages. J'ai vendu ces cartes que j'appelai Logiblocs, grâce aux contacts pris lorsque je travaillais comme consultant.

Dans la seconde moitié des années 1950, les répercussions extraordinaires du transistor dans l'industrie électronique provoquèrent une activité débordante. Il ouvrait des horizons nouveaux permettant à l'électronique digitale d'améliorer la productivité. Je me rendis compte, par exemple, que le codeur angulaire pouvait également servir à automatiser des machines-outils, tours, fraiseuses, meules. Si je pouvais trouver le moyen de commander électroniquement les opérations de ce type de matériel, le rendement en serait considérablement accru.

J'imaginai un système manœuvrant automatiquement ces machines à l'aide d'instructions introduites dans l'unité de commande par un programme sur cartes perforées, bandes perforées ou bandes magnétiques. Les utilisateurs pourraient ainsi effectuer diverses opérations pratiquement sans temps mort, puisque la machine ferait ce qu'on lui dirait. De plus, étant donné la vitesse du calcul électronique numérique, mon système serait de loin le plus rapide. J'accomplis moi-même une grande partie du travail en concevant les composants en question. Je n'en avais pas conscience alors, mais je venais d'inventer le premier robot industriel.

Nos clients pour ce dispositif de contrôle automatisé furent les constructeurs de machines-outils et les sociétés qui s'en servaient. Nous vendions aussi les composants séparément aux entreprises désireuses de fabriquer leurs propres commandes automatiques. En fait, nous avons proposé différents modèles sous la marque Weditrol, Wang Electronic Digital Control Units. Ils coûtaient sept cents dollars pièce à l'époque. En 1958 et 1959, nous avons fabriqué et vendu entre 120 et 160 unités.

Plus tard, nous leur avons trouvé de nouvelles applications : ils ont servi à la réalisation du premier tableau d'affichage numériquement programmé, du stade Shea à New York, ainsi qu'à la surveillance des lignes à haute tension de Duquesne Light and Power. Fonctionnant sur batterie, ce dernier système était destiné, lors d'une panne de secteur, à imprimer le déroulement des faits. Il a permis

Ma sœur Hsu Wang, à 21 ans, et moi, à 20 ans.

Colline panoramique, d'où Kun San tire son nom.

*La maison de mon enfance à Kun San, située à 50 kilomètres
de Shanghai.*

二十世諱德翰後至二十三世系表

遷居多陽支王氏譜〔卷二世系表〕究

*Une page de l'arbre généalogique familial, remontant
600 ans en arrière.*

La bibliothèque de l'université Chiao Tung à Shangai.

*Une photographie prise
à l'époque de mon diplôme
de l'université Chiao Tung.*

*Le professeur de physique
E. Leon Chaffee, qui m'a
guidé durant mes débuts
à Harvard, et grâce auquel
j'ai bénéficié d'une bourse.*

*Un nouvel étudiant
à Harvard.*

*Le professeur Howard Aiken,
responsable du laboratoire
de Calcul de Harvard
et l'un des pionniers
de l'informatique.*

Le Mark IV, l'un des ancêtres des ordinateurs modernes.

Une photographie récente de l'endroit où se trouvaient
implantés les premiers bureaux de Wang Laboratories
à Boston.

En plein travail dans le laboratoire de Calcul.

Une des premières lignes à retard, utilisée dans le cadre de mes recherches sur les mémoires à tores.

Lorraine et moi, le jour de notre mariage, le 10 juillet 1949.

INTERNATIONAL BUSINESS MACHINES CORPORATION

WORLD HEADQUARTERS   590 MADISON AVENUE, NEW YORK 22 N Y, TELEPHONE PLAZA 3-1900

August 1, 1951

Dr. An Wang
1 Dana Street
Cambridge, Massachusetts

Dear Dr. Wang:

Supplementing my letter of July 24th to you, I am writing you further to obtain a general idea as to what arrangements you have in mind to interest us in the pulse transfer controlling devices and methods which we presently have under study.

It is also noted you indicated that you are now self-employed, and we wonder whether you have given consideration to becoming affiliated with our organization.

Any information that you can furnish us along the above lines will be very much appreciated, and will provide a basis for discussing the matter further in person with you later, as you have suggested.

Very truly yours,

J. A. Little,
Director of Market Research

EMH/h

Une des premières lettres d'IBM, manifestant son intérêt pour les mémoires à tores.

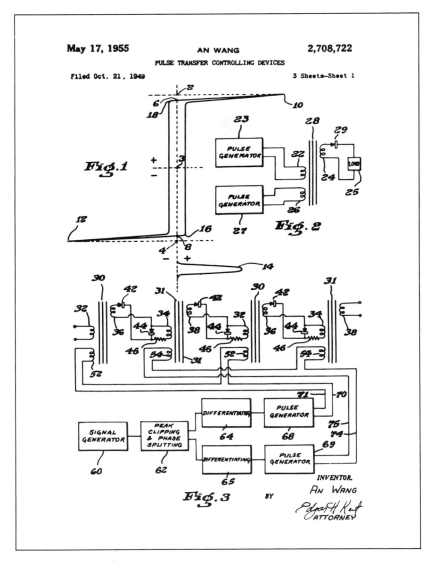

La première page du brevet concernant le « Dispositif de commande de transfert d'impulsion ».

Wang Laboratories, Inc.
Opening Entry – June 30, 1955

		Debit	Credit
100	Cash	2 566 54	
102	Petty Cash	100 00	
104	Accounts Receivable (see Page 2)	27 724 05	
106	Inventories	996 50	
150	Electronic Equipment	1 761 91	
152	Machinery –	939 40	
154	Furniture and Fixtures	1 065 66	
156	Special Tools	313 50	
108	Prepaid Items	664 81	
151	Reserve for Depr. – Electric Equip.		1 294 69
153	Reserve for Depr. – Mach'y + Equip.		524 46
155	Reserve for Depr. – Furniture + Fix		248 51
157	Reserve for Depr. – Special Tools		78 38
201	Accounts Payable (see Page 3)		2 622 68
202	Accrued Items (see Page 4)		1 263 65
300	Preferred Stock		15 000 00
250	Debentures		15 000 00
301	Common Stock		100 00
	To record transfer of the above	36 132 37	36 132 37
	assets and liabilities from the proprietorship		
	to the corporation.		
	Supported by schedules on the		
	following Pages.		

Le bilan de Wang Laboratories, le jour de la transformation de l'entreprise individuelle en société.

*La machine à calculer
de bureau LOCI, lancée
en 1965.*

*La série 300 des calculateurs
de bureau, lancée en 1965.*

NEW ISSUE

240,000 Shares

Wang Laboratories, Inc.

Common Stock
(50¢ Par Value)

•

Price $12.50 per Share

Copies of the Prospectus may be obtained in any State only from such of the several underwriters as may, lawfully offer the securities in such State.

White, Weld & Co.	**Tucker, Anthony & R. L. Day**
Kidder, Peabody & Co. Incorporated	**Smith, Barney & C** Incorporated

Bear, Stearns & Co.   Clark, Dodge & Co.   Estabrook & Co.   Hayden, Ston
Incorporated   Incorporated

Burgess & Leith

August 24, 1967

Stock Talk
Wang Comes on With a Bang

By DONALD WHITE

And here come's Tewksbury's Wang Laboratories, Inc., to join the list of exciting new issues.

Traded for the first time Wednesday, Wang stock ended the day at 40½ bid after opening at 35 bid, 38 asked.

The offering price was $12.50. Quite a one-day performance.

Wang, manufacturer of electronic desktop calculators and computers, will use the proceeds of the 240,000-share offering to repay short term bank loans, expand marketing operations at home and overseas and enlarge production facilities by about 10,000 square feet.

The company was organized in 1965 by Dr. An Wang. He and his family retain about 64 percent of the outstanding common stock. Thus, on the basis of Wednesday's trading, they have a paper fortune of more than $45 million.

In the fiscal year ending June 30, Wang had sales of $6.9 million and net earnings of $784,599. This is equal to 50 cents a share and means Wang stock is selling at a price/earnings ratio of around 80.

Here's the sales breakdown for 1967:

—Calculators, 62 percent, or $4,259,000. Feature of these solid-state desktop devices is that the keyboard is separated from the electronics package to permit modular expansion into a complete system. Price range, $1690 to $5130.

—Desk top computers, 17 percent, or $1,180,000. Principal item is the LOCI (Logarithmic Computing Instrument) designed primarily for scientific, engineering and statistical operations. Price: $2750 to $8450.

—Digital devices and instruments, 10 percent, or $710,000. These include a punched tape block reader used in tape-programmed production, testing and manufacturing equipment.

—Digital systems, 11 percent or $751,000. A line of transistorized digital logic modules which perform measurements of voltage, frequency or angular positional data. Prices; $3000 to $50,000.

Backlog is currently more than $2 million.

The company employs 400 at Tewksbury, including 24 in professional engineering capacities.

L'annonce de la première émission publique d'actions et un article du Boston Globe *relatant le succès de la première journée de transaction à la Bourse.*

La couverture d'une revue spécialisée montrant An Wang avec le dernier-né de Wang Laboratories, la calculatrice 700 à applications scientifiques.

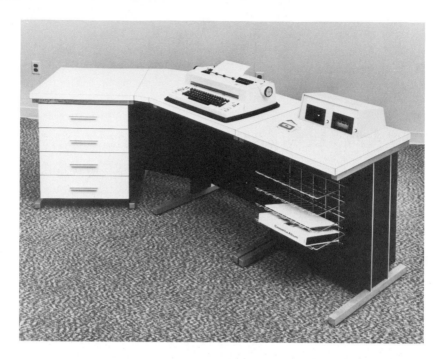

Le système de traitement de texte WPS 1 200, lancé en 1971.

Le WPS, l'un des premiers systèmes d'usage simple
de traitement de texte avec écran, lancé en 1976.

Lorraine et moi.

Le Centre Wang d'Art dramatique.

L'Institut Wang d'enseignement supérieur.

Le siège social de Wang à Lowell, Massachusetts.

*Le Dr C. Martin Wilbur (à gauche) et le Dr K. Fairbank
(à droite) deux universitaires de renommée internationale
spécialistes de la Chine, tous deux membres du Conseil
des études sur la Chine de l'Institut Wang.*

à la compagnie d'électricité de reconstituer ce qui s'était passé au cours de la fameuse panne de 1965 qui avait plongé le Nord-Est dans l'obscurité complète.

Pendant cette période, plusieurs événements pesèrent sur les finances de ma société. En 1958, j'avais utilisé l'argent versé par IBM à acheter un terrain à Reading (Mass.), en bordure de la route 128. En effet, installé depuis 1954 à Cambridge, Wang employait dix personnes et il devenait urgent de disposer de plus d'espace. Malheureusement, juste après l'achat du terrain et d'une grande quantité de matériaux de construction, l'Etat m'a exproprié pour élargir la route. En attendant mieux, je louai deux cents mètres carrés de bureaux à Natick, un autre faubourg de Boston. J'ai fini par récupérer les soixante mille dollars immobilisés à Reading mais, pendant quelque temps, mes finances sont restées très précaires, car il nous fallait toujours trouver des locaux permanents plus vastes pour mon personnel plus nombreux.

Ces problèmes de trésorerie ont été résolus à court terme par un prêt de la First National Bank de Boston. Aujourd'hui spécialiste des investissements à hauts risques, Peter Brooke, l'un de ses cadres, était chargé des placements dans la technologie de pointe et avait dressé une liste d'entreprises installées à Boston et dans la région, dont Wang Laboratories. Il vint donc me voir et me fit une proposition plus intéressante que celle de la New England Merchants National Bank, puisque je n'avais plus à avaliser personnellement les emprunts.

Si le crédit qu'il me proposait supprimait tous les problèmes de trésorerie à court terme, il ne me permettait pas de recruter le personnel administratif, commercial et technique dont j'avais besoin pour maintenir la croissance. Une fois de plus, le manque d'argent menaçait l'avenir de l'entreprise. C'est à ce moment-là que me fut proposée une alliance avec une société plus importante.

Trois ans auparavant en 1955, j'avais décidé de changer le statut de Wang Laboratories. En effet, avant même l'accord final avec IBM, il était évident que le brevet me rapporterait une importante somme d'argent. Directeur d'une entreprise en nom propre, j'étais responsable de ses dettes et je risquais donc de voir mes royalties menacées. Marty m'avait mis en rapport avec Charles Goodhue qui s'était occupé des formalités.

C'est ainsi que le 30 juin 1955, en pleines négociations avec IBM, Wang Laboratories se constitua en société. J'en étais le président et le trésorier ; le conseil d'administration se composait de Lorraine, mon épouse, Marty Kirkpatrick et moi-même. Les actifs s'élevaient à vingt-cinq mille dollars et le bilan se limitait à une simple feuille de papier écrite à la main. Je détenais la totalité des actions émises : soit quinze mille actions privilégiées, quinze mille dollars d'obligations et cent actions ordinaires. Mais j'en donnai une partie à ma femme et à mes enfants, après qu'un associé de Chuck Goodhue, Bill Pechilis, m'ait signalé une clause légale autorisant à donner de son vivant à sa famille, et sans payer de droits, une somme allant jusqu'à soixante mille dollars. Je lui demandai de rédiger les documents nécessaires à la création, au bénéfice de mes enfants, de Wang Family Trust. Marty fut nommé fondé de pouvoir et, le 5 avril 1957, je cédai à cette fondation quinze mille dollars d'obligations datées du 1er juillet 1955. C'est le seul capital que je lui ai versé, mais la cession avait eu lieu au moment le plus favorable. Ultérieurement converties en actions ordinaires, ces obligations ont, grâce à la croissance de mon affaire, pris une énorme plus-value.

Aujourd'hui, Wang Family Trust vaut cinquante mille fois plus qu'à sa création, et Marty en est toujours le fondé de pouvoir. Bill Pechilis est resté mon conseiller fiscal, et si Chuck Goodhue était encore vivant, je continuerais à écouter ses conseils.

Voici donc comment se présentait la situation quand je commençai à envisager une alliance : Wang Laboratories était devenue une société et, en dehors des obligations remises au Family Trust, la seule autre personne à posséder des actions était ma femme.

Nous comptions parmi nos clients une entreprise de machines-outils installée à Cleveland, la Warner and Swasey Company, qui faisait environ cinquante-six millions de dollars de chiffre d'affaires par an. Comme la First National Bank ne voulait pas augmenter le crédit qu'elle m'avait déjà accordé, Brooke me signala que je pourrais me procurer des fonds supplémentaires en négociant une prise de participation par une compagnie plus importante.

Depuis quelque temps, ce genre d'accord connaît une certaine vogue. Nous avons nous-mêmes conclu plusieurs alliances avec de jeunes sociétés. La logique présidant à ces arrangements est la suivante : la compagnie la plus importante profite du dynamisme et des idées de la plus petite, tandis que celle-ci trouve la trésorerie dont elle a besoin, bénéficie des connaissances en gestion et en marketing de la première tout en gardant le contrôle de ses opérations.

Après en avoir débattu, il nous a semblé à Peter Brooke et à moi-même que la Warner & Swasey Company était l'associé idéal. Cliente importante de mon système de commande, elle bénéficierait évidemment des améliorations apportées à l'automatisation de ses machines et, de son côté, Wang profiterait d'un afflux d'argent frais et des méthodes de travail d'une maison solide.

Peter Brooke servit de courtier entre le Dr. James C. Hodge, vice-président de Warner & Swasey, et moi.

Après quelques estimations, je chiffrais à cent cinquante mille dollars nos besoins pour les dix-huit mois à venir. A l'automne 1959, nous avions élaboré un accord dont voici l'essentiel : Warner & Swasey mettait cent cinquante mille dollars à notre disposition ; cinquante mille au titre de sa participation au capital de la société pour laquelle elle recevrait des actions équivalant à 25 % de Wang ; cent mille disponibles sous forme d'emprunt que ma société pouvait faire à un taux 0,25 % supérieur au taux de première catégorie. En échange, elle obtenait un siège à notre conseil d'administration, un traitement de faveur pour la consultation de nos brevets, et l'accès à nos comptes.

C'était un accord très honnête et je n'ai certainement pas à me plaindre du comportement du Dr. Hodge comme administrateur de Wang. Il l'est resté jusqu'à sa mort en 1982, bien après qu'il ait pris sa retraite en 1970.

Une fois l'affaire conclue, j'en discutais avec Malcolm Viar qui avait été mon expert-comptable pendant plusieurs années. Il me dit sans ambages que j'avais commis une erreur en me défaisant de 25 % de mes actions Wang à si bas prix, m'imposant de surcroît un contrôle minoritaire. L'avenir devait lui donner raison.

Malgré mon estime pour le Dr. Hodge, je regrettai presque aussitôt cette alliance. D'abord, la vente de mon brevet à IBM me rapporta suffisamment d'argent et je n'avais plus besoin de l'aide de Warner & Swasey. Même s'il est sage de séparer les fonds privés de ceux de l'entreprise, je pense que si une partie de l'argent touché pour le brevet n'avait pas été immobilisée dans le terrain exproprié, j'aurais pu financer seul le développement de ma société ou trouver une solution, sans en abandonner 25 %. J'allais apprendre à mes dépens que vendre ses actions pour obtenir des liquidités revenait très cher à une entreprise privée, jeune et de taille modeste. J'avais résisté à cette tentation en 1951, mais j'y ai succombé en 1959. Ce fut une erreur et une leçon.

Ensuite, sur le plan stratégique, cette alliance n'avait pas grand sens. On m'avait accordé un droit de regard sur le fonctionnement d'une société plus importante, mais je ne voyais que bureaucratie et luttes intestines ; rien dans sa politique ne me donnait envie de l'imiter. De plus, cette compagnie appartenait à un secteur frappé de plein fouet par la crise de l'industrie lourde aux Etats-Unis. Il s'agissait d'une affaire de machines-outils et, même si les systèmes de commande de celle-ci représentaient une part substantielle de notre marché, ce domaine ne constituait pas une promesse d'avenir pour nous. Ce point a été d'ailleurs évoqué plus tard par le Dr. Hodge lui-même qui m'a conseillé de me tenir à l'écart de ce secteur. Malheureusement, cet avis est arrivé trop tard.

Enfin, cet accord contenait des clauses auxquelles je n'avais pas attaché d'importance en le signant et qui allaient nous coûter d'autant plus cher que Wang prenait de l'ampleur. Par exemple, le contrat comportait des restrictions sur l'émission d'actions, ce qui, si on n'y avait pas remédié, aurait pu empêcher Wang d'être coté en Bourse. Les directeurs de Warner & Swasey ont accepté de le modifier, ce qui était dans leur intérêt, car ils pouvaient tirer un grand profit de notre entrée en Bourse.

En fait, cet accord a dû leur sembler fabuleux surtout si, comme je le crois, ils s'attendaient à ce que leur investissement leur apporte un crédit d'impôts. Ils ont peut-être été déçus de ne pas avoir profité autant qu'ils l'escomptaient de mes compétences en électronique (n'aimant pas voyager, je ne suis allé que rarement leur rendre visite à Cleveland), mais posséder 25 % de notre compagnie ne pouvait que les réjouir. Leur investissement initial de cinquante mille dollars leur a rapporté cent millions. En réalité, leurs actions ont pris une telle plus-value qu'il a été préférable pour eux, du point de vue fiscal, d'en offrir une partie à une organisation charitable.

Cette collaboration a comporté, pour Wang Laboratories et moi-même, des inconvénients bien plus nombreux que les avantages pécuniaires que j'en ai tirés. L'erreur n'a pas été de m'allier à Warner & Swasey, mais d'avoir laissé les événements en arriver à un point tel qu'il fallait le faire. C'est la rançon à payer, lorsqu'on est trop ambitieux et que l'on négocie dans une position vulnérable.

Cependant, tout n'a pas été négatif dans cet accord. Le capital et les emprunts obtenus m'ont permis de concevoir et de lancer sur le marché une photocomposeuse, la Linasec, qui a eu beaucoup de succès. Mais là encore, j'en ai tiré une leçon : il n'est pas prudent de fabriquer un produit commercialisé par une autre société, car celle-ci peut décider un jour de le fabriquer elle-même.

Vers la fin des années 1950, la photocomposition constituait un domaine encore relativement neuf. L'impression des journaux se faisait la plupart du temps mécaniquement, par coulée de plomb fondu. Impression et correction d'un côté, justification (disposition du texte en colonnes d'une largeur donnée) de l'autre, tels étaient les problèmes majeurs des imprimeurs, avant les beaux jours du traitement de texte. Le tirage et la correction se faisaient sur papier et à la main. Toutefois, il semblait que la justification qui portait essentiellement sur le dénombrement des caractères et des espaces pouvait être automatisée. Dès la fin des années 1950, il existait des photocomposeuses permettant de justifier les textes sur écran, mais elles coûtaient très cher, plus d'un million de dollars.

Ces machines présentaient un défaut majeur : il était impossible de couper des mots trop longs pour tenir sur une même ligne, et ils laissaient un blanc, lorsqu'on devait les écrire à la ligne suivante. Il y avait là un champ d'action intéressant pour qui arriverait à automatiser la mise en place des traits d'union et, par là-même, à augmenter la productivité d'un journal.

IBM essayait de pénétrer ce marché aux potentialités très lucratives. Sa solution, originale, consistait à stocker une espèce de « dictionnaire des traits d'union » dans la photocomposeuse, et quand la machine arrivait à l'endroit où il fallait couper un mot, elle cherchait dans le dictionnaire la bonne réponse. Cela marchait bien, mais coûtait tellement cher que c'était un peu comme si on utilisait un canon pour tuer un moustique.

Une autre société installée à Cambridge, Compugraphic, s'intéressait aussi au problème. Fondée vers 1955 par deux ingénieurs déjà spécialisés dans l'imprimerie, elle avait, comme beaucoup d'entreprises de technologie de pointe, vu le jour dans un garage. Les débuts de ces deux transfuges d'une autre maison annonçaient le mouvement des « je-démissionne-pour-monter-ma propre-affaire » qui, vingt ans plus tard, ferait fureur à Silicon Valley.

Compugraphic s'intéressait à Wang Laboratories et son président, William Garth, m'a proposé un jour de concevoir et de construire, selon ses indications, une photocomposeuse qu'il se chargerait de commercialiser. Cette idée m'a enthousiasmé. Inventer et produire une machine de ce genre était justement ce que j'avais envie de faire. Il m'a aussi affirmé que, n'étant pas intéressé par la fabrication, sa compagnie ne risquait pas d'entrer en concurrence avec nous.

Ce projet, très séduisant, constituait cependant un danger pour une firme de la taille de la nôtre. Il impliquait le financement, l'étude et la construction d'une machine sans garantie de succès. C'est à ce moment-là que l'association avec Warner & Swasey s'avéra positive. Grâce à l'afflux d'argent frais, je pus accepter ce projet sans compromettre notre équilibre financier.

Compugraphic proposait une solution judicieuse au problème du trait d'union. Au lieu d'encombrer l'ordinateur avec le logiciel et le matériel nécessaire, elle me demandait de réaliser une machine qui s'arrêterait et émettrait un signal chaque fois que se poserait ce problème. L'opérateur pourrait alors regarder l'écran, prendre la décision appropriée, après quoi, l'ordinateur poursuivrait la justification de texte.

A partir de cette idée, Wang Laboratories a été capable de concevoir, breveter et fabriquer une machine à justifier semi-automatique — appelée Linasec — beaucoup moins chère que celles de nos concurrents. Nous avons consacré trois années-ingénieur à l'élaboration de ce projet, ce qui est énorme pour une entreprise de vingt personnes. Mais cela nous a permis de la mettre au point en moins d'un an. Compugraphic nous versait environ trente mille dollars sur chaque unité vendue (le prix variait selon les équipements périphériques demandés).

Grâce à son prix compétitif Compugraphic en a vendu un grand nombre, surtout à de petits imprimeurs de journaux qui constituaient l'essentiel du marché. La première année — 1963 — nous avons enregistré pour trois cent mille dollars de commandes, environ quatre cent soixante-dix mille en 1964 et six cent quarante mille en 1965. Avec le succès croissant de la Linasec, nos ventes ont, pour la première fois, dépassé le million de dollars durant l'exercice fiscal de 1964. Il nous avait fallu treize ans pour en arriver là. Cela peut paraître long, mais, comme nous avions débuté avec un chiffre de vente annuel inférieur à dix mille dollars, cela représente finalement un taux de croissance plutôt rapide.

L'avenir paraissait donc plein de promesses. Mais sans me laisser le temps de savourer ce succès, Compugraphic me fit brutalement part de sa décision de fabriquer elle-même la Linasec. Bien que Wang Laboratories ait été propriétaire du brevet, Compugraphic s'était réservée le droit de produire les machines sans verser de royalties. Comme nous avions conçu et mis au point cette machine au terme d'un contrat avec Compugraphic, nous n'avions pas pensé à la commercialiser sous le label Wang. De toute façon, nous ne disposions pas alors d'un réseau de vente susceptible de s'en occuper. C'est pourquoi, nous n'avons pu qu'entériner cette décision.

La nouvelle a été un choc pour nous tous. Nous avions déjà fabriqué environ soixante-dix machines, ce qui représentait un revenu de plus de deux millions de dollars, et nous escomptions, grâce à la Linasec, augmenter encore ce chiffre d'un million dans un avenir proche. Tous nos espoirs fondés sur ces ventes s'écroulaient brusquement. Nous allions perdre les deux tiers des recettes prévues pour l'année suivante. J'ai décidé, à ce moment-là, de ne plus jamais concevoir ni fabriquer de produit commercialisé par une autre société.

Cependant, j'ai peu de regrets au sujet de la Linasec. De tous les projets technologiques entrepris, c'était le plus ambitieux et, en soi, le succès de la machine constituait déjà une grande satisfaction.

Il en est de même en ce qui concerne mon association avec Warner & Swasey. La leçon a été dure, mais j'en ai tiré des avantages certains. Le capital et les prêts obtenus m'ont permis de concevoir et de mettre au point non seulement la Linasec, mais aussi une nouvelle calculatrice de bureau qui a marqué un tournant décisif dans la croissance de ma compagnie. C'est à partir de là que j'ai pu financer son développement avec des emprunts ordinaires. Je n'ai plus jamais eu besoin de conclure le genre d'alliances que je viens de décrire. Si celle-ci a été une erreur, elle n'a pas été fatale, loin de là.

Mon association avec Warner & Swasey s'est terminée sur une note ironique. Vers 1975, cette société détenait à peu près 6 % des actions de Wang. Dans sa comptabilité, elle portait ces titres au prix d'acquisition, et je l'avais avertie que, avec une plus-value latente de dizaines de millions, elle constituait une cible tentante pour une prise de contrôle par un holding un tant soit peu rapace. Je l'avais prévenue, car en cas de rachat, son gros paquet d'actions pourrait représenter un danger pour nous : en effet, si l'acquéreur voulait disposer de ses avoirs, il avait le droit de nous forcer à nous introduire en Bourse.

A l'époque, le président de Bendix était William Agee, un homme très agressif en matière d'achat de sociétés, jusqu'à ce qu'il rencontre plus fort que lui dans la lutte l'opposant à la compagnie Martin Marietta. S'intéressant à Warner & Swasey, Agee examina sa comptabilité et découvrit ce paquet d'actions Wang. Il comprit alors que les vendre suffirait à couvrir le prix de la société.

Ce qu'il fit. Quand Warner & Swasey s'aperçut de ce que tramait Bendix, elle me contacta et me demanda de jouer le rôle de « protecteur » en l'achetant. Je refusai : je la connaissais trop bien pour souhaiter une autre alliance. J'avais déjà bien appris ma leçon.

III
Croissance et maîtrise

8

Premiers succès

Je ne suis pas du genre à ressasser mes ennuis. Même si la décision de Compugraphic de fabriquer et de commercialiser la Linasec a été un coup dur, je me suis rapidement efforcé d'en minimiser les effets. Nous avions, heureusement, un projet en cours qui paraissait pouvoir compenser les pertes de la vente de la photocomposeuse. En effet, l'argent de Warner & Swasey nous avaient permis de développer une machine, la LOCI, acronyme de Logarithmic Calculating Instrument (instrument de calcul logarithmique). Malgré ce nom impressionnant, il ne s'agissait que d'une calculatrice de bureau. Bien avant que le terme « convivial » ne devienne à la mode dans l'industrie informatique, elle était le type même de la machine conçue en pensant à l'utilisateur. Aujourd'hui, les calculatrices de bureau ont disparu, remplacées par les calculettes. Mais quand, en 1965, Wang Laboratories lança la LOCI, c'était une grande nouveauté.

Au début des années 1960, si on voulait effectuer une opération un peu plus compliquée qu'une addition ou une soustraction, il fallait se servir d'un gros ordinateur central capable de faire les multiplications en utilisant la méthode des additions successives. Sa grande vitesse et ses capacités permettaient de réaliser les opérations les plus com-

141

plexes en les décomposant en opérations plus élémentaires. A l'époque, personne ne voyait comment effectuer ces calculs avec une puissance de calcul et une mémoire moindres. Certes, des sociétés comme Olivetti, Victor, Monroe et Friden vendaient déjà des calculatrices de bureau, mais plus le problème était compliqué, plus les manipulations étaient malaisées. Les chercheurs ont souvent besoin de traiter des problèmes complexes tels que l'extraction de la racine huitième d'un nombre, et résoudre ce genre de problème sur les premières calculatrices prenait un temps infini.

La LOCI pouvait se poser sur un bureau et son prix de base, 6500 dollars, représentait un faible investissement par rapport au coût d'une unité centrale. Par un simple jeu de touches, l'utilisateur pouvait effectuer les différentes fonctions : addition, soustraction, multiplication, division, calcul d'exponentielles et extraction de racines carrées.

A la base de cette machine, se trouvait un outil de calcul numérique utilisé depuis des siècles par les ingénieurs et les savants : le logarithme, c'est-à-dire l'exposant d'un nombre. Par exemple, le logarithme décimal de 1000 est 3, ce qui signifie que le nombre 10 (la base) doit être élevé à la puissance 3 (l'exposant) pour donner le nombre 1000. Pour multiplier deux nombres, on peut additionner leurs logarithmes et ramener la multiplication à une simple addition ; de même pour diviser, il suffira de soustraire les logarithmes respectifs. On peut produire exposants et racines de nombres en multipliant et en divisant leurs logarithmes. Pour moi, le problème se résumait ainsi : trouver le moyen d'obtenir rapidement des logarithmes et, à partir de là, concevoir une calculatrice capable d'effectuer très vite toutes les opérations.

Après quelques recherches, je découvris une méthode

simple d'élaboration de logarithmes, celle de la combinaison des facteurs, basée sur une formule utilisant intelligemment un petit nombre de constantes (des nombres déterminés à l'avance et stockés en permanence dans la calculatrice) pour engendrer le logarithme de n'importe quel nombre.

Je m'attelai à la tâche et finis par trouver comment adapter cette méthode aux exigences de l'électronique numérique. Je parvins alors à élaborer des logarithmes et à effectuer des opérations en utilisant des circuits logiques nécessitant au plus trois cents transistors. C'était peu, comparé aux puces d'aujourd'hui : la plus petite contient des milliers de circuits. Évidemment aujourd'hui, à densité égale de transistors, les circuits sont beaucoup moins chers et moins grands qu'au début des années 1960.

A ma connaissance, Wang Laboratories était la seule société à avoir découvert comment se servir de la méthode combinatoire des facteurs pour engendrer des logarithmes. Ed Lesnik, un ingénieur entré chez nous en 1968, rapporte que lorsqu'il travaillait chez Monroe, leur chef-programmeur cherchait encore à comprendre notre système.

Si ma calculatrice demandait à l'utilisateur d'être familiarisé avec l'emploi des logarithmes et la notion de programme, elle était d'un maniement autrement plus aisé qu'un ordinateur. Il suffisait de taper sur une touche pour générer un logarithme en 50 millisecondes. Autre avantage non négligeable, elle pouvait se poser sur le coin d'un bureau.

Elle présentait aussi d'autres nouveautés. Je l'avais conçue pour qu'elle puisse être programmée et alimentée en données de différentes façons : en appuyant sur les boutons de la console, ou au moyen d'un accessoire permettant d'introduire un programme enregistré sur bandes ou cartes perforées ; on pouvait lui adjoindre un télétype utilisable à la fois comme terminal et comme imprimante ; enfin, elle pouvait être configurée de manière à ce que plusieurs claviers situés dans des endroits différents puissent servir de terminaux à une seule LOCI. Cette approche reflétait ma conviction que l'utilisateur devait être capable de développer et d'améliorer son installation et ne pas se trouver bloqué par un système obsolète ou incompatible. Au fil des années, cette stratégie a contribué à consolider les relations entre la compagnie et les utilisateurs qui augmentaient leurs investissements dans les produits Wang.

Le 29 octobre 1964, je déposai un brevet (accordé en 1968) pour l'unité de traitement de cette calculatrice et me dépêchai de tout mettre en place pour sa production et sa commercialisation. Une fois encore, nous nous sommes servis des nombreuses foires et expositions pour faire connaître notre nouvelle machine. Comme nous ne disposions pas encore de service commercial, nous l'avons confiée à des représentants multicartes. Très vite, nous nous sommes rendus compte que le marché nous était tout à fait favorable. Des laboratoires nucléaires dont celui de l'université de Berkeley — Lawrence Livermore Laboratories — ainsi que d'autres centres de recherche achetèrent notre calculatrice.

Néanmoins, la LOCI restait un instrument sensible et s'adressait à un utilisateur averti, ce que souligne ce petit incident survenu en France. La SNCF avait acheté notre machine pour résoudre ses problèmes compliqués d'horaires. Un jour, notre représentant local nous adresse un message urgent : la LOCI donne des réponses inexactes. Nous envoyons aussitôt sur place Joe Nestor, notre homme-orchestre, camarade de faculté de Marty Kirkpatrick. Aidé d'un autre ingénieur, il passe des journées entières à vérifier la machine sans rien trouver d'anormal. Finalement, sur le coup d'une intuition, il fait un tour dans les bureaux à quatre heures du matin. Il s'aperçoit alors que la LOCI est arrêtée, alors que nous avions bien recommandé de ne jamais la débrancher. En effet, cet appareil possède une mémoire à tores pour le stockage des données et ce type de mémoire a tendance à se détériorer à basse et à haute température. A cette heure-là, il devait faire à peu près 5° dans la pièce. Devenu détective, Joe Nestor se poste en embuscade. A sept heures, un employé entre, allume la lumière, le chauffage et la LOCI. Nestor lui demande ce qu'il fait, et l'autre de répondre que ces cinglés d'ingénieurs laissent toujours tout allumé en partant et que la société n'a pas à jeter l'argent par les fenêtres !

Nous avons commercialisé la LOCI en juillet 1965, et en seulement six mois, nous en avons vendu une vingtaine au prix moyen de 6500 dollars l'une. L'année suivante, nous sommes passés à une dizaine de calculatrices par mois et elles allaient devenir notre plus importante source de revenus.

Dès 1962, j'avais engagé plusieurs ingénieurs, dont Joe Nestor et une de ses relations, John McKinnon. Je n'avais pas une perception rigide de la définition de postes et des tâches : ceux qui travaillaient avec moi passaient facilement d'un poste à un autre. Je m'intéressais à ce qui fait la force d'un individu, indépendamment de sa fonction. Aujourd'hui, plus d'un vice-président chez nous a débuté comme secrétaire ou vendeur.

John McKinnon s'est montré particulièrement habile à trouver le terrain idéal pour nos bâtiments. Etant donné notre taux de croissance, cette aptitude nous a été très utile. En 1964, nous nous installâmes à Tewksbury, sur l'emplacement d'une ancienne ferme, une trentaine d'hectares en tout. Effrayés à l'idée que j'avais acheté tant de terrain, certains suggérèrent que j'en lotisse une partie pour la vendre. A ce moment-là, Wang Laboratories employait à peu près trente-cinq personnes. Notre essor, qui nous avait contraint à quitter Natick pour Tewksbury, était si important que beaucoup, ma femme y compris, estimaient que nous ne pouvions guère envisager de nous accroître davantage. Au cours des années, Lorraine a toujours plaidé pour une croissance plus lente (elle prétend que je change de sujet quand la question vient sur le tapis). Quand nous avons emménagé à Tewksbury, elle était persuadée que nous n'aurions plus besoin de changer de locaux. J'annonçai aux conseillers municipaux que j'espérais employer un jour une centaine de personnes. En fait, grâce au démarrage en flèche des calculatrices, deux ans à peine après notre installation, nous avions dépassé ce chiffre.

La LOCI a été notre première calculatrice de bureau, mais sa suprématie dans cette gamme de produits a été de courte durée. Non que les ventes aient diminué, mais il s'agissait d'une machine de transition qui nous a conduit à en créer une nouvelle : le modèle 300. Avec son lancement, le taux de croissance de Wang Laboratories a tout simplement explosé.

Même si je reste persuadé qu'une société ne doit pas grandir à un rythme qu'elle ne pourrait maîtriser, je ne veux en aucune façon suggérer qu'il faille laisser passer les occasions de développement. Une entreprise qui poursuit résolument la mise au point de nouveaux produits découvrira tout naturellement des débouchés. Mais cela ne suffit pas. La tâche d'un dirigeant est d'abord de juger les occasions méritant un investissement important, puis de déterminer la manière de mieux servir un marché. Très souvent, ces décisions impliquent un changement d'orientation.

J'avais développé la LOCI en pensant à des débouchés particuliers, mais une fois lancée, il devint évident à mes yeux qu'un autre type de calculatrices pouvait toucher un énorme marché auquel je n'avais pas encore songé : celui d'hommes d'affaires ou de personnes n'ayant aucune formation scientifique et ignorant tout du fonctionnement d'un ordinateur ; bref, une nouvelle clientèle.

En 1963, Wang Laboratories connaissait une croissance telle qu'il nous sembla judicieux d'engager à plein temps un comptable. Jusque-là, le cabinet Malcolm Viar s'occupait de notre comptabilité ; en particulier, Martin Miller tenait nos registres depuis deux ans. Avec la bénédiction de Malcolm, Martin entra donc chez nous. Quant à Malcolm, il a continué de nous prodiguer ses conseils jusqu'à sa mort en 1986.

Marty Miller prit l'habitude, à l'heure du déjeuner, de s'amuser avec la LOCI. A cette époque, en dehors des secrétaires, il était pratiquement le seul à avoir reçu une formation commerciale plutôt que technique. Un jour, il fit remarquer en passant que cette machine serait un outil de gestion extraordinaire si elle était plus facile à utiliser. Cette remarque aiguisa ma curiosité et, après quelques conversations avec lui et avec d'autres personnes, je me mis à réfléchir pour déterminer ce qu'il fallait faire pour que la LOCI séduise les hommes d'affaires.

Comme elle effectuait les multiplications en élaborant d'abord les logarithmes des nombres à multiplier, puis en additionnant ces logarithmes et, enfin, en produisant un anti-logarithme pour afficher le résultat, la réponse obtenue pour l'opération 2x2 était 3, 999999999. Si cette réponse comportait une marge d'erreur d'à peine 1/1 000 000 000, les gens préféraient tout de même lire 4.

Aussi, avons-nous ajouté à la calculatrice une fonction permettant d'arrondir le nombre. De même, le clavier de la LOCI comportait un certain nombre de noms très simples pour un ingénieur, mais incompréhensibles pour un non initié. Quand un homme d'affaires procède à une multiplication, il ne s'intéresse ni au registre de travail ni aux tables de logarithmes ni aux totalisateurs ; il tape ses chiffres et veut lire les résultats sur l'écran. C'est pourquoi nous avons passé beaucoup de temps à reprogrammer la machine pour que son clavier soit très clair.

Un examen approfondi de la LOCI nous a aussi révélé qu'une calculatrice commerciale devait être d'un entretien facile. Les calculatrices électromécaniques tombaient souvent en panne, par exemple, elles se bloquaient si on essayait de diviser un nombre par zéro. Si nous pouvions réduire au minimum ces pannes et simplifier l'entretien de la machine, nous attirerions une clientèle découragée par la nature capricieuse des machines concurrentes déjà en service.

Bien sûr, nous ne perdions pas de vue les innovations réalisées par les autres firmes. Après la parution dans le *Wall Street Journal* d'une publicité pour la calculatrice électronique Friden, le Dr. G.Y. Chu, un de nos ingénieurs, Marty Miller et moi-même sommes allés la voir, en nous présentant comme des clients potentiels. Fort obligeant, le vendeur nous en fit la démonstration complète. Outre son maniement difficile, elle avait un énorme défaut : elle occupait la moitié du bureau. Cela nous a donné l'idée de séparer le clavier de l'ensemble électronique. Le clavier serait une petite unité posée sur un bureau, tandis que le système électronique desservant plusieurs claviers serait installé par terre.

Une idée en entraîne une autre. Plusieurs personnes pouvaient utiliser la LOCI à partir de terminaux éloignés, mais chacune à son tour. Marty fit alors remarquer qu'il serait plus intéressant qu'elles puissent s'en servir en même temps. C'est ainsi que nous avons mis au point un multiplexeur, système gérant les informations venues des divers claviers rattachés à une machine. Toutes ces améliorations nous étaient dictées par le souci de concevoir le produit du point de vue de l'utilisateur.

Nous avons aussi étudié le moyen d'en réduire le prix de revient. Au lieu d'une carte par nombre affiché sur l'écran, j'en conçus une seule pour tout l'affichage. En éliminant les circuits superflus, nous économisions des centaines de dollars par appareil. De même, en examinant le clavier, nous nous sommes rendus compte que nous pouvions remplacer ses touches par d'autres dix fois moins onéreuses.

Grâce à ces économies et à celles que nous escomptions de la fabrication en série, nous avons pu mettre au point une calculatrice de bureau, d'utilisation bien plus facile que la LOCI, et que nous pouvions vendre à un prix quatre fois moins élevé. Appelée le modèle 300, c'était la première machine fabriquée par Wang Laboratories capable d'être utilisée par tout un chacun.

Nous nous sommes ensuite réunis pour en fixer le prix. La calculatrice Friden coûtait deux mille cent quatre-vingt quinze dollars, celle d'un concurrent mille sept cent quatre-vingt quinze. L'un de nous suggéra mille quatre cents dollars pour la nôtre. Sa mise au point n'avait pas nécessité un gros budget, pourtant, je refusai énergiquement. Nous n'étions pas très connus sur le marché et je craignais que les gens ne considèrent ce produit nouveau et bon marché comme un jouet ou comme un produit de qualité inférieure. Une fois notre réputation établie, nous pourrions baisser les prix, mais pas pour le moment. Nous avons donc fixé un prix initial à peu près équivalent à ceux de nos concurrents : mille six cent quatre-vingt quinze dollars.

Nous avions réussi à concevoir, fabriquer et lancer la calculatrice sur le marché en un délai très court. Le modèle 300 a été commercialisé dix mois après la mise en vente de la LOCI. Nous avons commencé à la vendre au début du deuxième semestre 1966 et, malgré cela, ses ventes de cinq cent soixante-dix-huit mille dollars, ont dépassé celles de la LOCI pour l'année entière. Mais son incidence réelle n'apparaissait pas encore de façon probante.

Soutenues par la LOCI et par la 300, les ventes de la société sont passées de deux millions cinq cent mille dollars en 1966 à trois millions huit cent mille. En 1967, les ventes ont atteint le chiffre record de six millions neuf cent mille dollars, soit une augmentation de plus de 80 % par rapport à l'exercice précédent. Pour que cette croissance soit possible, nous avions dû embaucher beaucoup de monde. De trente-cinq employés en 1964, nous sommes passés à plus de quatre cents en 1967.

En général, un essor rapide a une répercussion sur la trésorerie et sur la rentabilité. Néanmoins, nos bénéfices restaient importants : environ, 15 % de notre chiffre d'affaires. C'est en 1967 seulement que la croissance a commencé à peser sur notre trésorerie. Pourtant, pour les deux raisons suivantes, il nous a été plus facile qu'à d'autres de contrôler notre croissance.

Comme la calculatrice remplissait un vide entre la règle à calcul et le mini-ordinateur, nous avons pu en fixer le prix pour qu'elle soit compétitive, tout en conservant une marge brute confortable, de l'ordre de 65 à 70 %. Pourtant, cela ne suffisait encore pas à couvrir les besoins occasionnés par l'incroyable progression que nous avons connue à la fin des années 1960.

150

Même avec de telles marges, nous devions faire attention au prix de revient. Ma politique a toujours été d'utiliser au mieux nos ressources en concevant de nouveaux produits ce qui impliquait notamment d'en anticiper les coûts de production. La longue période de gestation de Wang Laboratories nous avait appris à évaluer avec précision nos coûts, aussi, lorsque nous développions de nouvelles machines, nous n'avions que peu de surprises.

Nous étions aussi aidés par la nature de notre entreprise. Construire des calculatrices était plus une question de montage que de fabrication. Nous concevions les cartes et leur fabrication était confiée à des sous-traitants qui nous les expédiaient à Tewksbury où nos employés assemblaient et testaient les calculatrices. Cela signifiait que, pour nous, la croissance ne se posait pas en terme d'investissement en actifs immobilisés, mais se traduisait plutôt par la nécessité de recruter et de former un personnel qualifié. Evidemment, à mesure de notre développement, nous devions agrandir nos installations, mais la place ne manquait pas. Construite en 1964, notre première usine faisait environ deux mille mètres carrés ; en 1966, nous en avons ajouté trois mille autres et, ensuite, nous nous sommes agrandis au rythme de 150 % tous les deux ans.

Alors que les ventes de la 300 continuaient à progresser, nous avons commencé à sortir d'autres versions adaptées à des besoins spécifiques. A côté d'une version affaires, nous en avons d'abord créé une pour les statisticiens, les scientifiques et les ingénieurs ; puis de plus puissantes avec une mémoire accrue et des possibilités de programmation plus développées. Nous avons conçu, par exemple, des logiciels d'application particuliers : pour le calcul des annuités de prêts et l'escompte des obligations ; cette dernière application, que nous évoquerons un peu plus

151

loin, a eu des répercussions sur notre avenir, lorsque nous avons décidé d'introduire Wang Laboratories en Bourse.

Au début, nous étions seuls sur le marché, ce qui nous poussait à en exploiter toutes les possibilités. A cette époque, la commercialisation d'une calculatrice consistait essentiellement à décider des modèles. Nous concevions des machines pour un type particulier de client et, une fois construites, elles se vendaient pratiquement toutes seules. Mais aucun marché ne reste longtemps statique, et il aurait été absurde de croire que cette situation allait durer. Si nous voulions rester en tête, il nous fallait anticiper son évolution.

Nous avons donc examiné les structures de notre société pour voir si elles nous permettaient de tirer parti des occasions qui se présentaient à nous. Jusqu'à la sortie de la 300, nous avions été avant tout une société scientifique, mais depuis que nous étions entrés sur un marché beaucoup plus vaste, nous étions conscients qu'il convenait de changer nos méthodes. Le personnel devait admettre l'importance croissante de la distribution, de la vente et de l'après-vente et accepter ce changement qui nous faisait de moins en moins ressembler à un laboratoire de recherche et de plus en plus à une entreprise commerciale. Cette orientation ne plaisait pas à tout le monde.

Cela ne me surprenait pas. Quand une société évolue, il se trouve toujours des gens qui, l'aimant comme elle est, refusent tout changement ; ils préfèrent s'en aller et entrer dans une entreprise semblable à la leur avant sa mutation. Je me suis cependant efforcé de leur proposer un autre emploi chez nous qui leur aurait mieux convenu. En revanche, beaucoup se sentaient très à l'aise dans ce climat plus dynamique et je leur ai offert des possibilités de promotion, quelle qu'ait été leur fonction à leur entrée dans notre maison.

Je crois avoir fait de mon mieux pour faciliter ces transformations. J'ai encouragé les gens à exprimer leurs opinions et j'ai tenté d'établir un consensus pour les choix les plus importants. J'estime en effet inefficace de diriger une affaire en imposant son point de vue de façon péremptoire, surtout s'il implique des changements essentiels de son orientation. Au cours des réunions, les directeurs des divers départements ont pu émettre leur avis et participer aux décisions. Ainsi, une fois les grandes options arrêtées, je n'ai plus à craindre des argumentations oiseuses ou pire, des tentatives de sabotage de tel ou tel plan d'action.

Une des résolutions les plus faciles à prendre a été celle de créer une division internationale. A l'occasion de ventes de logiciels d'instrumentation et autres programmes, j'avais déjà exploré les marchés étrangers, mais, jusqu'au succès de la 300, cette disposition ne s'imposait pas. Nous avons établi nos premiers bureaux au Royaume-Uni, en Belgique et à Taiwan. Ce choix n'était pas aussi arbitraire qu'il y paraît.

Le Royaume-Uni constituait un débouché naturel pour une calculatrice fabriquée aux Etats-Unis, en premier lieu à cause de la communauté de langage. J'avais eu des contacts là-bas, lorsque je travaillais en qualité de consultant. De plus, il s'agissait d'un des deux pays d'Europe où, à l'époque, une société américaine pouvait espérer un tarif douanier correct. Quant à la Belgique, elle était notre cheval de Troie. Etant donné les règles de la Communauté économique européenne, une fois nos produits exportés en Belgique, nous pouvions les revendre dans toute l'Europe sans nous heurter aux barrières douanières élevées devant tout produit en provenance des Etats-Unis. Enfin, nous avons choisi de nous installer à Taiwan pour deux raisons : non seulement, il y avait là un débouché intéressant pour nos produits, mais, très important aussi, nous faisions des économies conséquentes en transférant dans cette île certaines opérations de fabrication qui nécessitaient un travail manuel long, précis et minutieux. C'est notamment le cas de la fabrication des mémoires à tores magnétiques utilisées pour le stockage des données dans la série des 300. Et Taiwan disposait en abondance d'une main d'œuvre qualifiée pour ce genre de travail.

En créant une division internationale, j'avais fixé un objectif pour nos ventes à l'extérieur des Etats-Unis. Si l'on examine la carte du commerce mondial, on constate que l'Amérique couvre un tiers du marché, l'Europe un autre tiers et le reste du monde se partage le dernier. En théorie, des ventes reflétant cette répartition donneraient à une entreprise une très grande stabilité. Cependant, il est normal qu'une société américaine réalise le plus grand pourcentage de son chiffre d'affaires avec son pays ; en conséquence, il me paraissait raisonnable d'envisager la ventilation suivante : 50 % de ventes aux Etats-Unis, 25 % en Europe et 25 % dans le reste du monde. Aujourd'hui, nous faisons respectivement 60, 20 et 20 %. Nous n'avons pas encore atteint les chiffres prévus, mais nous n'en sommes pas loin.

La refonte de nos réseaux de ventes a été une opération un peu plus pénible. Le succès des calculatrices avait, en effet, révélé leur faiblesse et démontré qu'une organisation valable pour un petit fabricant de matériel électronique spécialisé cessait de l'être pour un constructeur de machines de plus en plus largement et rapidement distribuées. Le problème des réseaux commerciaux a constitué un test déterminant de nos possibilités d'adaptation.

Au début, lorsque nous avions lancé les composants Weditrol, les représentants indépendants constituaient notre force de vente. Mais, avec le succès de la calculatrice, nous nous sommes rendus compte de leurs limites.

Aussi, me parut-il indispensable de créer notre propre réseau de vente à l'échelon national. Cela provoqua, bien sûr, quelques désaccords qui marquaient les tensions créées par la croissance de la compagnie vers des marchés moins spécifiques.

J'ai donc convoqué une réunion à laquelle assistaient Larry Gosnell, chargé de notre réseau de représentants industriels, Frank Chen, responsable de la distribution, Ned Chang, directeur du bureau d'études au département LOCI, Joe Nestor et moi. Larry Gosnell et Frank Chen voyaient la série 300 comme un prolongement de la LOCI. Ils en déduisaient qu'il était logique d'en confier la vente aux représentants que nous avions utilisés jusqu'à présent ; d'autre part, ayant eux-mêmes engagé la plupart de ces représentants, ils se sentaient tenus de ne pas les abandonner.

Entrés à l'époque où Wang Laboratories était orientée vers des produits spécialisés à distribution limitée, ils présentaient des arguments tout à fait acceptables. Or, il en allait tout autrement si, au lieu de considérer le passé, on envisageait l'avenir. La 300 pouvait effectivement paraître comme une extension de la LOCI du point de vue technologique, mais pas du point de vue commercial. Frank Chen finit par le comprendre et par s'y adapter, mais Larry Gosnell ne l'accepta jamais et préféra nous quitter.

J'ai confié à Joe Nestor la mission d'organiser un réseau de vendeurs Wang, et il passa la plus grande partie de l'année suivante entre deux aéroports, allant de ville en ville pour trouver et engager du personnel. En juin 1967, quatre-vingts personnes vendaient nos appareils dans quarante villes. John Cunningham, le futur directeur général de la société, est entré chez nous à ce moment-là.

S'ils avaient été obligés d'abandonner les avantages

d'entreprises plus importantes que la nôtre, les représentants qui nous avaient rejoints y trouvaient souvent leur compte en voyant leur précédent revenu doubler ou tripler. Au début, un vendeur commençait avec une table dans un bureau qu'il partageait avec d'autres. Si les ventes dépassaient un certain seuil, il pouvait choisir de louer son propre bureau. Ses avantages dépendaient de son rendement.

J'ai également étudié le problème des commissions et décidé d'une nouvelle façon de rétribuer les vendeurs. Le rapport des rémunérations pour un même poste d'une entreprise à l'autre n'est pas nécessairement calqué sur le rapport de leur taille. De même, je ne voyais pas pourquoi ces commissions devaient progresser selon un mode linéaire, d'autant que nos produits se vendaient pratiquement tout seuls. J'ai alors dessiné une courbe des rémunérations qui augmentaient au pro rata de la racine carrée de la progression des ventes ; en clair, si un représentant vendait dix fois plus qu'un autre, il recevait une prime trois fois plus importante.

Au début, personne ne s'en est plaint, parce qu'il n'y avait pas de concurrence et les calculatrices se vendaient facilement. Plus tard, avec l'apparition de produits rivaux, ils n'ont plus accepté cette formule et j'ai dû la modifier, instituant un salaire de base avec un taux de commission constant. La méthode précédente était valable tant que le marché nous appartenait, mais je n'ai eu aucun mal à l'abandonner quand les circonstances ont changé. Une gestion déterminée ne signifie pas une gestion inflexible. Si, face à la concurrence, je m'étais obstiné à conserver la formule originelle, j'aurais certainement perdu de bons vendeurs.

La façon dont nous avons développé et vendu la LOCI et la 300 reflète toutes les leçons apprises au cours des

156

quinze années précédentes : plus une société a une gamme diversifiée de produits, plus il lui est facile de trouver des débouchés ; plus elle est capable de s'adapter et plus elle peut prendre les mesures nécessaires pour les exploiter.

Si nous n'avions pas su répondre aux besoins nouveaux, nous n'aurions sans doute pas pu nous implanter solidement sur le marché avant que nos concurrents ne relèvent notre défi. J'ai eu raison de voir en la 300 une calculatrice radicalement différente de la LOCI, même si celle-ci l'avait inspirée. Sans cette clairvoyance, Wang Laboratories serait encore un petit constructeur spécialisé en électronique numérique.

La LOCI et la 300 ont marqué des tournants décisifs dans l'exploration de cette branche à laquelle je m'étais consacré depuis la création de mon entreprise. J'ai toujours été mû par l'idée d'en utiliser les immenses possibilités pour faciliter le travail des gens, trouver un besoin et le satisfaire. Je me suis d'abord intéressé aux demandes des chercheurs et des ingénieurs ; ensuite, avec la gamme de la 300, je me suis tourné vers les lieux de travail les plus courants. En multipliant ses applications, nous étions guidés par le fait que les gens ne voulaient pas de technologie mais des solutions à leurs problèmes. Certes, nous devions nous adapter à l'élargissement de nos marchés, mais cela ne se faisait pas à l'aveuglette : la forme de la société pouvait changer, mais pas son âme.

Notre long apprentissage venait de prendre fin. Cependant, la concurrence sur le marché exigeait une transformation encore plus radicale : l'ouverture du capital de Wang Laboratories au public. C'était un magnifique succès pour nous mais, en regardant en arrière, je me rends compte que, là aussi, la chance et un heureux concours de circonstances y ont largement contribué.

157

9

Introduction en Bourse

Entrer en Bourse a depuis longtemps constitué un rite de passage pour les entreprises de technologie de pointe. Ces derniers temps, bon nombre d'entre elles ont passé ce cap à un âge de plus en plus précoce. Au début des années 1980, il était courant, en effet, que des constructeurs d'ordinateurs entrent en Bourse bien avant d'avoir réalisé des bénéfices, parfois même, avant d'avoir rien vendu ou fabriqué.

Toutefois, déjà vers la fin des années 1960, la haute technologie connaissait une activité passionnante. C'était l'époque des « Go-Go Years », caractérisées par des cours aussi exagérées que ceux des émissions du début des années 1980. C'est à ce moment-là que j'ai décidé l'introduction de Wang Laboratories sur le marché. Nous avions besoin de capitaux pour rembourser nos dettes à court terme et financer notre croissance. De plus, l'ambiance régnante nous était très propice, mais pouvait ne pas durer.

Contrairement à de nombreuses entreprises qui accédaient à la Bourse avec pour seule richesse un avenir prometteur, Wang Laboratories l'a fait avec des bénéfices conséquents, une augmentation rapide de son chiffre d'affaires et une expérience de seize ans. Comparés à certaines compagnies qui n'avaient pour références que leur papier à en-tête, nous paraissions très sérieux.

Ce fut pour nous un événement heureux et passionnant. Environ dix-huit mois après notre introduction, les « Go-Go Years » ont connu un spectaculaire coup d'arrêt et le marché des émissions s'est effondré. En fin de compte, la récession a mis les actionnaires face à la réalité : les cours étaient beaucoup trop élevés par rapport aux perspectives de bénéfices que laissaient entrevoir les sociétés cotées. Si nous n'avions pas accompli cette démarche à ce moment-là, le marché des capitaux nous aurait sans doute été fermé pour les huit années suivantes, et nos finances auraient été très tendues.

Ma décision était fondée sur le rythme élevé de notre croissance. Il ne s'agissait pour moi ni de profiter d'un marché en ébullition ni d'augmenter ma fortune personnelle. A la différence de beaucoup d'entrepreneurs qui considéraient le jour d'introduction comme « jour de paye », je n'ai jamais vendu mes propres actions. J'aurais sincèrement préféré que Wang Laboratories n'ouvre pas son capital au public. Mais, pour répondre à la demande en calculatrices de bureau, nous avions déjà atteint le plafond des crédits accordés par la First National Bank de Boston.

En 1967, nous avions réalisé 4 259 000 dollars de chiffre d'affaires dans ce secteur, soit huit fois plus que l'année précédente et environ 62 % de nos ventes totales. En prévision de cette demande, nous avions dû doubler notre personnel et agrandir de 150 % nos installations de Tewksbury. La réalité des affaires est telle qu'il faut dépenser de l'argent en personnel et en installations avant de récolter des bénéfices, même si les clients se pressent pour acheter. Nous n'avons pas cessé de solliciter des emprunts complémentaires à court terme à la First Natio-

160

nal Bank. Au début de 1967, ils s'élevaient à plus d'un million de dollars, soit à peu près l'équivalent du montant de nos fonds propres. Depuis le départ de Peter Brooke qui était (et est toujours) membre de notre conseil d'administration, entré chez Tucker, Antony & R. L. Day pour s'occuper d'investissements à hauts risques, Ernest Stockwell veillait à nos intérêts à la banque (lui aussi entra plus tard dans notre conseil d'administration). Inquiet de l'importance de nos emprunts par rapport à nos fonds propres, il nous conseilla l'introduction en Bourse afin d'augmenter notre capital et réduire notre endettement.

Pour moi, le problème essentiel posé par cette démarche ne s'énonçait pas en termes d'avantages comparatifs entre financement par fonds propres ou par emprunts. Je me souciais avant tout de la direction et du contrôle de l'entreprise. J'avais déjà amoindri la participation de ma famille dans mon entreprise en m'associant à Warner & Swasey. Malgré l'action positive de James Hodge, de chez Warner, je ne voulais pas laisser le contrôle de ma maison à un conseil d'administration extérieur.

J'ai fondé Wang Laboratories en partie parce que j'aime prendre mes propres risques. Tant que je contrôle l'affaire, je suis responsable des décisions, bonnes ou mauvaises. Je n'ai jamais été partisan du capital à haut risque, car je ne veux pas être gêné par des financiers extérieurs, si souples soient-ils. Je ne refuse pas pour autant d'écouter un conseil, j'attache même beaucoup d'importance à la communication à l'intérieur et à l'extérieur de l'entreprise, ainsi d'ailleurs qu'au bien-être de toutes les personnes concernées par les résultats. Mais PDG d'une firme que j'ai fondée, je veux tenir les leviers de commande partout où sa destinée est en jeu. Enfin, aussi longtemps que je la dirigerai, je n'aurai pas envie de l'abandonner.

Outre ces considérations personnelles, d'autres arguments peuvent être avancés en faveur, sinon de la propriété, du moins du contrôle personnel d'une société par actions. Un patron qui n'a pas à rendre compte des résultats trimestriels à des administrateurs extérieurs peut diriger son affaire avec, pour objectif, les intérêts à long terme de l'entreprise. C'est si important aujourd'hui où il faut, sans cesse, trouver un équilibre entre la rentabilité à court terme réclamée par le marché et l'orientation vers le long terme, vitale pour une entreprise. Seul maître à bord, n'ayant pas à soumettre ses décisions à l'avis des administrateurs et des financiers, il décide plus vite des actions stratégiques à entreprendre. Tout au long de ma carrière, j'ai pris rapidement nombre de décisions capitales parce que, précisément, j'avais et la responsabilité et le pouvoir de le faire.

On peut évidemment invoquer des arguments contraires. Un chef d'entreprise qui ne rend de comptes qu'à lui-même peut impunément ruiner son affaire : mais n'est-ce pas le risque de toute entreprise ? Cependant, la diversité, de mise dans une économie de marché, permet de limiter les dommages causés par un patron incompétent ou irréfléchi, muni de tous pouvoirs. Les employés peuvent démissionner et trouver du travail ailleurs, et les clients s'adresser à un concurrent. Il y a, bien sûr, des cas d'abus d'autorité infligés par des sociétés de personnes à des collectivités qu'elles contrôlent. Mais à Boston, communauté économique diversifiée, la technologie de pointe représente un secteur très compétitif. Dans un tel environnement, un PDG jaloux de son pouvoir se détruirait lui-même.

Toutes les sociétés se fixent des objectifs. Ceux de Wang Laboratories ont toujours été de servir ses clients et sa région, en développant la technologie et les bénéfices. Aujourd'hui, comme en 1967, j'ai le sentiment de pouvoir en assurer au mieux la poursuite en gardant le contrôle de la politique de la maison.

Beaucoup d'histoires circulent sur des fondateurs de firmes de haute technologie renvoyés par des actionnaires mécontents. On peut évidemment se demander s'il fallait ou non les congédier pour le bien de l'entreprise, mais il est certain que, une fois le contrôle de leur affaire perdu, ils ne peuvent plus la conduire vers les buts qu'ils s'étaient fixés.

Cette approche sous-tend également la façon dont j'envisage le problème plus vaste du contrôle familial. J'aimerais garder un contrôle suffisant pour que mes enfants puissent prouver qu'ils sont capables de la diriger, sans craindre de prendre quelques risques. Mais jusqu'où peut aller la gestion familiale d'une affaire cotée en Bourse ? La réponse est délicate. Toutes choses étant égales, mes enfants devraient être bien plus motivés qu'un directeur appointé. Cependant, je ne veux pas prendre de décision pour eux. Et je n'exclus pas qu'un directeur salarié puisse se montrer meilleur capitaine.

Mes deux fils travaillent aujourd'hui chez Wang, et je leur ai donné à chacun l'occasion d'apprendre comment marche l'entreprise. Devenu directeur général après avoir travaillé dans plusieurs divisions, Fred a pu étudier son fonctionnement sous différents angles. Courtney a choisi une autre voie. Il a demandé à créer et diriger un petit département semi-autonome à l'intérieur de la compagnie, Wang Communications, Inc., où il peut démontrer ses capacités d'entrepreneur. Je suis content qu'il reconnaisse à Fred, de six ans son aîné, une plus grande expérience. Encore étudiante, Juliette n'a pas de projets précis.

Je me suis efforcé d'appliquer à leur éducation les mêmes principes qu'à la gestion de ma société. Je crois davantage à la vertu de l'exemple qu'aux manifestations d'autorité, et à l'initiative individuelle plutôt qu'à l'exécution passive des différentes tâches à accomplir. J'espère que mes enfants auront à cœur de prouver leurs qualités ; pour moi, c'est un devoir plutôt qu'un privilège. Toutefois, la progression continue de notre société, le bien-être qu'elle apporte à sa communauté et à sa région m'importent plus que le nom de mon successeur.

C'est en réfléchissant à tous ces aspects que j'analysais l'opportunité d'entrer en Bourse. Même si le fait de perdre la majorité n'entrave pas systématiquement l'action d'un PDG, je ne tenais pas à courir ce risque.

A l'époque, White, Weld & Company (maintenant une branche de Merrill Lynch) était sans doute l'une des sociétés d'investissement les plus renommées pour l'introduction en Bourse des firmes de technologie de pointe. J'entrai en contact avec l'un des associés, George Montgomery. De l'avis de ce spécialiste, Wang Laboratories pouvait être introduite en Bourse ; cette opération permettrait d'obtenir les capitaux nécessaires et de rembourser les dettes à court terme ; elle éviterait la dispersion des actions possédées par ma famille et la perte de la majorité. En l'occurrence, cette période a certainement été la seule où ce double objectif pouvait être atteint, car le marché, en hausse, acceptait de payer assez cher les valeurs d'informatique. J'ai également bénéficié d'une heureuse coïncidence.

A Wall Street, on ne nous connaissait pas uniquement à cause de nos profits honorables et de notre croissance rapide. Nous étions appréciés par des gens susceptibles d'influencer favorablement le destin de nos actions, et cela grâce à nos efforts soutenus pour développer des logiciels d'application de la calculatrice.

Nous avions élaboré des programmes spéciaux sur cartes perforées permettant au client désireux de les utiliser d'introduire la carte dans la machine et d'inscrire les chiffres aux endroits appropriés. L'un de ces logiciels servait à calculer instantanément la valeur actuelle des obligations. A cette époque, pour déterminer la valeur d'une obligation à un moment donné pour un coupon déterminé, les courtiers se servaient de tables financières, semblables à celles utilisées par les banques pour établir les remboursements mensuels de prêts hypothécaires. Mises au point alors que les taux d'intérêt étaient assez bas — elles fonctionnaient jusqu'à 6 à 7 % —, elles étaient devenues inutilisables à la fin des années 1960, ces taux ayant atteint 8 à 9 %. Aucune autre table n'existait pour ces nouveaux taux. Grâce à notre logiciel, un courtier pouvait désormais actualiser les obligations pour n'importe quels taux et période.

Notre calculatrice devint très populaire à Wall Street. Un de ses utilisateurs, courtier chez Salomon Brothers, découvrit que, pour un ensemble de chiffres donnés, notre logiciel ne laissait pas apparaître les mêmes résultats que les tables financières jusque-là utilisées. Le cabinet Salomon Brothers prit contact avec nous et nous demanda de vérifier nos calculs ; ce que nous avons fait : ils étaient exacts. Il a alors engagé un mathématicien qui a obtenu les mêmes chiffres que nous, démontrant que les tables en usage depuis 30 ans étaient inexactes. Une légende se créa autour de notre calculatrice plus précise que les tables financières, ce qui augmenta la crédibilité de notre compagnie parmi ceux-là mêmes qui allaient négocier nos actions.

Au début de 1967, la société avait émis 7 900 actions A et 34 474 B (sans droit de vote). Pour entrer en Bourse, il en fallait beaucoup plus, et toutes avec droit de vote. Nous avons donc unifié les titres A et B en une seule classe d'actions ordinaires et, procédé, en mai, à une division de ces actions — 19 pour une — de sorte qu'elles atteignent un cours raisonnable. En juillet, nous avons donc distribué 716 856 nouvelles parts aux actionnaires, ce qui a porté le nombre total de ces titres à près de un million cinq cent mille.

Compte tenu de l'état du marché et des bonnes dispositions de la communauté financière à l'égard de Wang Laboratories, il était évident que la cotation en Bourse allait constituer une aubaine extraordinaire pour les possesseurs d'actions émises antérieurement. J'ai décidé d'en faire profiter les administrateurs et les anciens de la maison qui avaient joué un rôle éminent dans sa croissance. J'ai offert des options d'achat à un certain nombre de directeurs et d'ingénieurs, puis, après mûre réflexion, à de nombreux employés. Je ne voulais pas que certains employés, depuis longtemps dans la maison mais occupant des postes moins importants, puissent éprouver quelque amertume à ne pas recevoir leur part de cette manne. J'ai aussi pris des dispositions pour qu'ils puissent acheter des titres au prix d'émission. Nous leur avons accordé des options sur 20 423 actions, au prix unitaire de quatre dollars dix-sept.

Avant toute introduction en Bourse, il faut se faire enregistrer à la Securities and Exchange Commission et déposer dans chaque Etat des dossiers appelées « Blue Sky ». Si l'un d'eux estime que le prix proposé à l'émission est trop élevé, il peut interdire la vente des titres sur son territoire. Avec près de 1 500 000 titres en circulation, le bénéfice par action s'élevait à cinquante cents. De l'avis du cabinet White, Weld, un PER* de 25 constituait un maximum ; la première offre publique a donc été fixée à douze dollars cinquante.

---

* N.d.T. PER : Price/Earnings Ratio, rapport du cours de l'action et des bénéfices.

A ce prix, nous pouvions proposer deux cent mille titres et réunir deux millions et demi de dollars, largement de quoi rembourser nos emprunts à court terme. D'autre part, cette offre laissait à ma famille le contrôle de plus de 65 % du capital. Ma vieille amitié avec Peter Brooke m'a permis de demander à Tucker, Anthony, d'assister White, Weld pour l'émission. La souscription préliminaire a remporté un tel succès que ces deux cabinets ont insisté pour que je porte le nombre des actions à 240 000, ce que j'ai accepté.

Un problème administratif a retardé notre introduction en Bourse. Chuck Goodhue avait rempli et déposé à la SEC le formulaire S-1 (rapport sur les affaires de la compagnie et ses risques, accompagné d'une description détaillée de la LOCI et des premières calculatrices), mais l'agrément de la SEC se faisait attendre. Perdant patience, Chuck appela cet organisme pour connaître les raisons de ce retard : apparemment, personne n'avait compris ce que faisait Wang Laboratories ! Chuck partit pour Washington accompagné d'un vendeur et fit la démonstration d'une calculatrice à la personne chargée d'examiner le rapport. Cela dissipa tout malentendu et supprima le dernier obstacle.

Le bruit courut que nous étions sur le point de nous introduire en Bourse et, dans les semaines précédant l'opération, ma secrétaire, Sybil Ashe, fut submergée d'appels de personnes désirant acheter des actions au prix d'émission. L'une d'elles menaça même de lui tirer dessus si elle n'obtenait pas satisfaction ! Mais Sybil ne pouvait que conseiller de s'adresser à des agents de change.

Autre anecdote significative : Marty Miller se rendit un jour chez le coiffeur ; dans le salon plein de monde, la conversation portait uniquement sur le moyen de se procurer des actions Wang. Craignant d'être assiégé de demandes, il se garda bien de se faire connaître.

Le 23 août 1967, nous nous réunîmes dans le bureau de Chuck Goodhue pour attendre le télégramme de la SEC autorisant la vente des actions ; nous étions aussi fébriles que des futurs pères dans une maternité ! Peu après l'arrivée du fameux télégramme, nous reçûmes des nouvelles des premières transactions en Bourse : trente-huit dollars le titre, plus de trois fois le prix d'émission. A la fin de la journée, le cours atteignait quarante dollars cinquante. Malgré le marché surchauffé, ce résultat fut très remarqué par la presse financière.

Le 22 août, la compagnie représentait une valeur nette de un million de dollars ; le 23, elle totalisait une capitalisation boursière de soixante-dix millions. Même en calculant la valeur comptable de la société à deux dollars l'action, le marché l'estimait à vingt fois plus. En d'autres termes, le rapport capitalisation/bénéfices était quatre-vingts dès le premier jour, ce qui, même pendant les « Go-Go Years », représentait quatre fois le PER moyen des sociétés de technologie.

Les actionnaires de Wang surveillaient, comme moi, l'accroissement au jour le jour de leur fortune. Dans les bureaux, régnait l'allégresse. Je me souviens avoir entendu ma secrétaire propriétaire de cent actions s'écrier : « Je suis riche ! Je suis riche ! » Même s'ils ne sont pas devenus riches, beaucoup d'employés ont fait une bonne affaire. Martin Miller a acheté sa première maison grâce à ses options. Dans les jours suivants, les actions ont encore monté.

Peu après l'émission, j'ai reçu une lettre d'un joueur de base-ball de première division, Moe Drabowsky. Il avait pu acheter en août 200 titres Wang au prix d'émission. Cette année-là, les Red Sox jouaient les World Series.

Bien que membre de l'équipe de Baltimore, Moe Drabowsky avait des places pour le match. Comme il avait bénéficié de l'achat de valeurs Wang à leur prix d'émission, il me proposait ses places au prix coûtant, beaucoup plus bas que celui du marché noir. Ce fut la seule fois où j'assistais à une telle rencontre. J'espère, cependant, avoir l'occasion d'assister à une autre finale à Boston.

Je ne voulais pas vendre d'autres actions, mais c'était tentant. Evaluées le 22 août un dollar l'une (sur la base de la valeur nette de la société), les parts détenues par ma famille représentaient tout à coup sur le papier cinquante millions de dollars.

L'opération entraîna d'autres gains, non financiers ceux-là. On m'avait souvent dit que, du fait de son nom, la compagnie risquait de se heurter à une certaine discrimination. Cette demande d'actions prouvait, au contraire, l'estime du monde des affaires pour une firme portant un nom chinois. Plusieurs années après notre introduction en Bourse, et alors que nos ventes représentaient entre cinquante et cent millions de dollars, cette question de la discrimination revint sur le tapis : selon certains, le nom de Wang pouvait nous empêcher de nous implanter sur le marché des machines à traitement de texte. En fait, tous les noms américains ou presque ont une origine étrangère ; Dupont est français, Levy-Strauss juif : cela n'a pas empêché leur croissance et je ne vois pas pourquoi il en serait autrement d'un nom chinois.

J'ai aussi eu la satisfaction de constater qu'en dépit des gains très importants des premiers jours, seuls quelques employés ont vendu leurs actions. Tout le monde avait l'impression que la société pourrait progresser et l'action devenir une autre Xerox (Je ne me doutais guère que la valeur des titres Wang dépasserait un jour celle de Xerox). J'estime qu'en ne saisissant pas l'occasion de réaliser des bénéfices immédiats, les employés ont clairement marqué leur confiance à l'entreprise et à ses objectifs.

Au cours de la première année, l'action ayant atteint cent vingt dollars, la compagnie Warner & Swasey n'a pas résisté à la tentation de tirer profit de son investissement de cinquante mille dollars, fait sur la base de quinze cents l'action. Une seconde offre a donc été faite en mai 1968 pour vendre une partie de ces titres. De son côté, Martin Kirkpatrick, curateur du Wang Family Trust, a jugé prudent de vendre quelques actions. Au total, cent trente mille actions ont été vendues à soixante-sept dollars l'unité.

Marty n'en a plus vendu d'autres. Etant donné la conjoncture, il avait eu raison d'agir ainsi, mais rétrospectivement, je pense qu'il aurait mieux valu n'en rien faire. En 1986, une action Wang, bien que vendue vingt dollars, représentait, compte tenu des fractionnements, douze fois les soixante-sept dollars de 1968. Pendant cette même période, le produit de la vente des actions a été multiplié environ par six.

En janvier 1970, Warner & Swasey a décidé de céder encore des titres. Nous avions alors fractionné les actions sur la base de deux pour une. Wang Laboratories a voulu profiter de cette nouvelle émission pour émettre cent vingt mille titres, afin de rembourser d'autres dettes à court terme et construire de nouveaux bâtiments. Le prix d'offre a été évalué à quarante-trois dollars vingt-cinq l'action, l'équivalent de quatre-vingt six dollars cinquante avant fractionnement.

Ensuite, nous n'avons plus rien vendu pendant sept ans. Peu de temps après cette dernière vente, la Bourse des valeurs et l'économie ont, en effet, connu de mauvais jours et jusqu'en 1976, les marchés des capitaux ont été pratiquement inertes. En 1972, nous avons envisagé une vente, mais nous y avons vite renoncé à cause de la très médiocre tenue du marché.

Ceci prouve que nous sommes entrés en Bourse au bon moment. Il y avait là une petite fenêtre ouverte entre fin 1967 et fin 1969, quand la croissance de l'entreprise et une Bourse florissante rendaient opportune notre cotation. Si nous avions attendu, la fenêtre se serait refermée et nous aurions dû émettre un plus grand nombre d'actions à bas prix, ce qui aurait dangereusement dispersé le capital de la compagnie.

Nous aurions pu survivre sans cette opération boursière, mais notre taux de croissance en aurait été extrêmement ralenti. D'autre part, nous n'aurions pas disposé des fonds nécessaires pour occuper une position dominante sur le marché des machines à calculer de bureau et le dominer, avant que des entreprises plus importantes et plus solides ne répondent à notre défi.

Il me serait agréable de prétendre que je savais que c'était le bon moment pour nous d'entrer en Bourse, mais ce ne serait pas la vérité. Nous ne nous sommes pas lancés dans la commercialisation de logiciels financiers pour inciter les investisseurs à acheter des actions Wang et j'ignorais que le marché des capitaux connaîtrait la terrible détérioration des années 1970. Une fois encore, la chance m'a souri.

Je crois, tout de même, pouvoir affirmer que la gestion de Wang Laboratories y a certainement contribué. C'est peut-être un hasard si les personnes susceptibles de nous soutenir sont tombées sur notre logiciel de tables financières, mais la conception de ce dernier n'a rien de fortuit. Nous avions littéralement ratissé le marché pour en connaître les besoins et adapter nos calculatrices. En nous servant des logarithmes, nous faisions des calculs précis à la dixième décimale, ce que seuls, à l'époque, réalisaient les gros ordinateurs. Ce sont nos prouesses technologiques et notre acharnement à découvrir les besoins et à les satisfaire qui nous ont ensuite permis de bénéficier de la chance.

Le succès de nos calculatrices, qui nous a incité à entrer en Bourse, ne devait rien au hasard. Il résultait d'une longue maturation, au cours de laquelle nous avions compris ce que le public attendait exactement de la technologie et comment y répondre avec des produits adaptés.

Paradoxalement, la fabrication des machines à calculer de bureau, qui nous avaient fait connaître de Wall Street et du monde des affaires, a cessé au bout de quelques années. J'ai pris cette décision de propos délibéré, et malgré la croissance continue du marché. De même que leurs prédécesseurs, la LOCI et la Linasec, les 300 étaient un produit de transition. Comme elles représentaient une part considérable de nos bénéfices et que, de plus, Wang était coté en Bourse, ma résolution a fait l'objet d'un débat animé à l'intérieur de la maison.

10

Des calculatrices aux ordinateurs

Wang commençait à peine à être reconnue comme le spécialiste des calculatrices que, déjà, s'imposait à moi la nécessité d'une diversification. Le générateur de logarithme nous avait donné un avantage temporaire sur le marché, mais de nouvelles technologies se profilaient à l'horizon. Je prévoyais que la calculatrice de bureau deviendrait un objet courant le jour où le seul argument de vente serait son prix. Je ne voulais pas m'engager à fond dans cette course où le vainqueur ferait des marges bénéficiaires très étroites, compensant à peine son investissement. Tout en répondant à cette demande, nous avons commencé à travailler sur des projets de matériels plus sophistiqués.

L'un de ces projets consistait à développer un ordinateur universel. Depuis mon départ du laboratoire de Calcul en 1951, j'y avais renoncé à cause de la mise de fonds considérable qu'il entraînait ; d'autre part, je restais convaincu que le public préférait des produits offrant des solutions à ses problèmes spécifiques plutôt qu'une machine à vocation multiple. Ce revirement n'indiquait pas pour autant un changement de philosophie de ma part, mais la prise de conscience d'une évolution de la technologie réduisant le fossé entre ce que les gens attendaient de l'ordinateur et ses possibilités réelles.

Depuis mon passage au laboratoire de Calcul de Harvard, la technologie des ordinateurs avait considérablement progressé, et avait permis le développement de langages de programmation évolués.

Au début, si l'on voulait qu'un ordinateur accomplisse des fonctions différentes, il fallait en changer le câblage. Avec les programmes enregistrés, il suffisait d'en modifier les instructions. Les premiers temps, ils étaient écrits en langage machine — simple codification de mots faite de « uns » et de « zéros » —, le seul susceptible d'être compris par elle. La capacité des mémoires augmentant, les chercheurs en ont imaginé d'autres, tels le FORTRAN, l'ALGOL et le COBOL, plus proches de la notation utilisée en logique et en statistiques. Ils établissaient la communication entre la machine et son utilisateur. Ce dernier écrivait un programme dans l'un de ces langages, qui était alors traduit en un ensemble d'instructions adapté à un ordinateur particulier.

Cela signifiait que ces machines n'étaient plus réservées à des spécialistes plongés dans d'interminables combinaisons de « uns » et de « zéros ». Des scientifiques et des utilisateurs professionnels pouvaient apprendre à s'en servir. En 1965, John Kemeny (qui a été quelque temps président de Darmouth) et une équipe de chercheurs ont inventé le BASIC, si simple qu'il permettait à n'importe quel débutant d'apprendre, très vite, à effectuer des opérations élémentaires sur un ordinateur.

Jusqu'à l'apparition du BASIC, j'étais persuadé que la plupart des gens échangeraient volontiers la flexibilité des ordinateurs universels contre la commodité des solutions programmées proposées par nos calculatrices. Elles pouvaient, en effet, être programmées mais dans un domaine très étroit. Le BASIC a considérablement réduit le travail nécessaire d'adaptation des logiciels aux besoins spécifiques des utilisateurs. L'heure était donc venue pour nous de fabriquer des ordinateurs. D'abord fabricants d'équipements spécialisés, puis société vendant ses produits au grand public, nous devions continuer à évoluer. Cette adaptation impliquait l'abandon de notre ligne la plus productive. Comme dans toute évolution, il y eut quelques faux départs, des approches différentes, se chevauchant parfois : en tout, il nous a fallu quatre essais avant de concevoir le bon système.

Notre première tentative n'a pas été, à proprement parler, un succès. En 1967, Frank Trantanella proposa de construire un petit ordinateur à partir de l'unité centrale de traitement de nos calculatrices les plus perfectionnées et de la mémoire de masse sur cassettes magnétiques dont nous nous servions pour stocker les programmes. Quand, au printemps 1968, je vis le 4000, je compris qu'il ne pourrait jamais concurrencer le PDP-8 de Digital Equipment Corporation (DEC). Confronté aux limites du 4000, je me rendis compte qu'il faudrait faire appel à des compétences extérieures à la compagnie, si je souhaitais mettre au point des ordinateurs ou des appareils plus sophistiqués. En désaccord avec moi, Frank Trantanella préféra quitter la société et fonder sa propre entreprise, Tranti System, qui fabrique des terminaux point de vente.

Il nous manquait une bonne connaissance de la programmation système. Nous disposions d'un personnel qualifié pour le matériel et la conception des programmes d'application concernant les machines à calculer, mais personne ne possédait l'expérience nécessaire pour concevoir les liaisons entre nos calculatrices et les ordinateurs, ni ne savait établir un système d'exploitation pour le type d'appareil que nous souhaitions élaborer.

En avril 1968, j'indiquai à Peter Brooke que je cherchais

à acquérir une société de services et de conseil en informatique dans la région de Boston, ou à conclure avec elle une association en participation. Il me conseilla immédiatement Philip Hankins Incorporated (PHI) — installée à Watertown — une firme très appréciée et considérée comme la plus importante du Massachusetts dans le domaine du service informatique. En dehors de la grande compétence de son personnel, son principal atout était un ordinateur IBM 360/50 qu'elle louait. John Cullinane, futur fondateur de Cullinet, société spécialisée en logiciels de bases de données, faisait encore partie de l'entreprise. PHI était très appréciée pour le travail accompli chez IBM et dans d'autres compagnies telles que Arthur D. Little, la Marine Midland Bank et l'Instrumentation Laboratory du MIT.

Plus nous examinions le projet, plus l'idée paraissait séduisante stratégiquement pour l'une et l'autre société. Philip Hankins profiterait de notre force financière et de notre réseau de ventes ; Wang de son expérience en programmation et d'un large éventail de prestations que nous pourrions proposer tout de suite à nos clients. Enfin, nous aurions accès à un gros ordinateur IBM sur lequel nous pourrions faire nos simulations, au fur et à mesure de l'élaboration de notre propre appareil.

Après quelques négociations, nous avons acheté Philip Hankins Incorporated le 20 juin 1968 contre environ 102 000 actions Wang. Le titre se vendant alors soixante-treize dollars, nous avons donc payé à peu près sept millions quatre-cent cinquante mille dollars. Cette acquisition a provoqué de nombreuses protestations de la part des actionnaires, car ce prix représentait plus de soixante-dix fois les gains d'une société qui ne disposait pas d'un actif très important, et environ vingt-cinq fois sa valeur nette.

Je ne partageais évidemment pas ces inquiétudes. Les titres cédés pour l'achat de PHI représentaient à peine 5 % des actions de notre société, rapport reflétant assez bien la taille et la rentabilité respectives des deux compagnies. Cependant, je reconnais que je ne fus pas pleinement satisfait par cet accord.

En effet, grâce à cette opération, un certain nombre d'ingénieurs de haut niveau de PHI devenus relativement riches sont partis dans l'année ; d'autres, n'appréciant guère l'ambiance des grandes entreprises, ont démissionné. Or, leurs compétences à tous constituaient l'atout majeur de PHI. Sur le moment, ces défections m'ont irrité, mais elles m'ont servi de leçon : si on s'associe à une société d'abord pour son personnel, il faut veiller à ne pas lui retirer sa motivation.

Heureusement, à côté de ces ingénieurs hautement qualifiés, PHI possédait une excellente équipe d'analystes, de programmeurs et de gestionnaires parfaitement capables, comme nous nous en sommes rendus compte, de prendre la place des cadres supérieurs qui s'en allaient. Ils avaient la compétence qui nous faisait défaut et, ne serait-ce que pour cela, le prix payé à PHI était justifié.

A la fin de l'été 1968, nous avons fait deux autres tentatives pour mettre au point un ordinateur universel. Les deux ont abouti mais, pour diverses raisons, aucun d'eux n'a vraiment eu d'impact sur le marché. Le premier, le 3 300 BASIC, plus performant que le 4 000, présentait encore de sérieuses limites. Le second, le 700, prévu pour être un ordinateur, a été transformé en calculatrice programmable en cours de fabrication pour faire face à une concurrence menaçante. Néanmoins, chacune de ces expériences nous en a appris un peu plus dans ce domaine.

L'histoire du 700 montre bien comment nous avons dû,

une fois encore, nous adapter à un marché en évolution, et combien reste floue la frontière entre les calculatrices les plus perfectionnées et un ordinateur.

Mon idée était de construire un processeur se rapprochant davantage du 360 — alors, le principal ordinateur IBM — que de nos précédentes machines. Je chargeai Frank Trantanella, encore chez nous, et un autre ingénieur, Prentice Robinson, de s'occuper de la partie matérielle du projet et quelques programmeurs de PHI de développer ce que l'on appelle le microcode de l'appareil.

Malgré leur extraordinaire amélioration, les mémoires internes représentaient toujours l'aspect le plus onéreux et le plus délicat du projet. En 1968, on utilisait encore les mémoires à tores, mais leurs jours étaient comptés depuis l'apparition des mémoires RAM basées sur l'utilisation des semi-conducteurs. Pour rester compétitif, il fallait donc concevoir un système exigeant un minimum de mémoire interne.

C'était d'ailleurs ce qu'avait fait DEC à la fin des années 1960 en lançant son mini-ordinateur, PDP-8, destiné à rivaliser avec les gros appareils. Au début, cette firme a dominé son marché, comme nous l'avions fait avec nos calculatrices de bureau. Nous comprîmes que la microprogrammation nous permettrait de concevoir un appareil susceptible de concurrencer efficacement non seulement les petits processeurs de DEC, mais aussi les ordinateurs.

Le terme de « microprogrammation » se rapporte à un programme câblé sur un circuit imprimé (ou sur une puce) qui organise les opérations élémentaires de l'ordinateur en fonctions plus élaborées. Ce microprogramme est généralement emmagasiné dans une mémoire morte (ROM) réglant les opérations internes de l'appareil. En résumé, il se situe entre le logiciel et la machine. Contrairement à la partie matérielle de l'ordinateur, on peut modifier certains

178

microprogrammes en changeant simplement un circuit, mais à l'inverse du logiciel, on ne peut y accéder à volonté pour les modifier. C'est la raison pour laquelle on parle de firmware (micrologique), qui se situe entre le hardware (équipement) et le software (logiciel). Son avantage est la réduction de la mémoire interne, très coûteuse. Au lieu de compiler les instructions écrites en langage évolué, le microprogamme interprète directement les ordres. L'inconvénient est qu'une machine microprogammée offre une moins grande flexibilité.

Dans nos calculatrices, nous avons beaucoup utilisé la microprogammation, mais de manière bien plus simplifiée que dans une machine aussi puissante que l'IBM 360. En 1968, j'engageai comme ingénieur d'étude un jeune homme très brillant, Harold Koplow ; cet ex — physicien et pharmacien me paraissait avoir l'étoffe d'un programmeur. Effectivement, il se découvrit très vite un don pour l'écriture de microprogrammes. A l'époque, c'était un art, et seules quelques personnes semblaient capables de percevoir comment employer le minimum de lignes de code pour ordonner à un ordinateur d'accomplir rapidement un travail déterminé. Doué en outre d'une intuition extraordinaire, il savait effectuer les choix techniques adéquats avant de prendre une décision.

Au cours de l'été 1968, nous avons organisé un concours primant la personne capable, avec le moins de mots de code possible, de microprogrammer l'une des instructions du futur ordinateur. Koplow gagna et fut chargé du microcodage de l'appareil.

Alors que le travail avançait, Hewlett-Packard annonça soudain une nouvelle série de calculatrices, les HP 9100. Plus chères que nos gammes 370 et 380, à un prix d'environ cinq mille dollars, elles possédaient cependant quelques atouts qui risquaient de gêner considérablement la vente

179

de nos machines les plus perfectionnées : un écran — très différent des moniteurs cathodiques actuels — permettant à l'utilisateur de voir trois lignes d'opérations mathématiques, et une programmation soit au moyen du clavier, soit en utilisant des logiciels sur cartes magnétiques individuelles.

Il nous fallait absolument trouver une parade à cette menace. L'équipe chargée de notre ordinateur a donc reçu de nouvelles directives ; l'appareil devait, sans changer d'architecture, devenir un ordinateur destiné à des calculs scientifiques. Nous nous sommes également attaqués aux performances de la HP 9100. Celle-ci était capable de traiter cent quatre-vingt-seize instructions, la nôtre en traiterait neuf cent soixante ; elle disposait d'un maximum de quatorze registres de mémoire, la nôtre en aurait cent vingt ; chacune de ses cartes magnétiques ne contenait que deux programmes, la nôtre serait alimentée par des cassettes magnétiques en comprenant plusieurs. Jusqu'alors, celles-ci n'avaient servi qu'à l'enregistrement de la musique ou de la voix, jamais à celui de programmes.

Il restait que la Hewlett 9100 était déjà sur le marché, alors que la nôtre était encore à l'état de maquette. Prenant un pari sur l'avenir, nous avons inscrit la machine au catalogue de décembre 1968, et annoncé les premières livraisons pour juin 1969. Nous avons demandé aux vendeurs qui enregistraient les commandes pour notre nouveau produit de remettre aux clients un jeu de nos autres calculatrices.

Juin 1969 arriva et nous n'étions pas prêts. Tout fonctionnait, mais le dispositif électronique de la console n'était pas encore assez miniaturisé. Il fallait absolument faire une démonstration de l'appareil pour rassurer les acheteurs de plus en plus inquiets. Harold Koplow se rendit à une exposition en Californie, emportant, d'une part, le prototype et, d'autre part, les composants électroniques non insérés. Il vissa la console sur une table de bridge qu'il perça pour relier les fils au dispositif électronique posé en-dessous, sur une seconde table. Soulagés, nos clients ont vu fonctionner une calculatrice beaucoup plus puissante que la HP 9100.

Nous avons finalement réussi à miniaturiser la 700 ; pour gagner encore un peu de temps, nous en avons distribué quelques exemplaires aux représentants, pendant que nous essayions de résoudre un dernier problème, celui de la surchauffe. A cause du bruit qu'il faisait, nous hésitions à installer un ventilateur dans la machine. Alors que nous cherchions une solution, nos vendeurs trouvèrent une astuce pour que les clients ne s'aperçoivent pas de cet inconvénient. Lorsqu'ils remarquaient une hausse de température, ils disaient : « Et, maintenant, regardons ce qui se passe à l'intérieur. » Ils enlevaient le capot, laissant à l'appareil le temps de se refroidir, après quoi, ils reprenaient la démonstration. Après avoir décidé qu'en définitive un petit bruit de ventilateur valait mieux qu'une surchauffe, nous avons pu commencer à livrer nos calculatrices. La série des 700 a connu un magnifique succès.

Une fois qu'elle a été mise sur le marché, un fait nous a vraiment convaincu de l'existence de débouchés pour des ordinateurs universels peu coûteux : les gens utilisaient, de plus en plus, la 700 pour *écrire* des programmes, alors qu'elle n'avait pas été conçue à cet effet. Malgré certains inconvénients, ils s'accommodaient de la programmation sur calculatrice à écran, car celle-ci valait beaucoup moins cher qu'un ordinateur. C'était la preuve irréfutable d'un immense besoin latent.

La 700 a été notre dernier produit faisant appel aux mémoires à tores. Ainsi prirent fin mes rapports avec ce support d'information qui remontait à mes premiers jours au laboratoire de Calcul. Peu après la sortie de notre appareil, Intel se mit à vendre une puce capable de contenir 2 000 bits de mémoire. Nous fûmes les premiers à nous en servir pour une nouvelle série de calculatrices à usage commercial, la 600.

Si nous l'avions voulu, nous aurions pu vendre la 700 comme un ordinateur, ainsi d'ailleurs que d'autres machines à calculer ; nous ne l'avons pas fait, car il est plus facile de vendre une calculatrice, même chère, qu'un ordinateur, ne serait-ce que parce que l'on s'adresse directement à l'utilisateur. A la fin des années 60 et au début des années 70, la décision au sein d'une entreprise d'acheter un tel appareil incombait à la direction qui commençait à peine à connaître le nom de Wang, alors qu'ils étaient depuis longtemps familiers avec celui d'IBM ; d'où plusieurs rencontres et réunions avec les informaticiens de la compagnie et d'interminables discussions sur la compatibilité avec IBM et le langage utilisé. Il en allait de même quand il s'agissait de ventes à l'Administration : si, lors d'un appel d'offres, on avait le malheur de prononcer le mot « ordinateur », on était bombardé de questions concernant les spécifications ou les contraintes et on croulait sous la paperasserie. Décidé à un niveau nettement plus inférieur, l'achat d'une calculatrice s'effectuait bien plus rapidement.

Nous avons encore connu quelques contretemps avant de pouvoir fabriquer un mini-ordinateur qui connaîtra le succès. Baptisé 3300 BASIC, nous avions commencé à le développer en même temps que la 700. Il s'agissait d'un vrai mini-ordinateur aux possibilités à peu près équivalentes à celles du PDP-8, avec cette différence que le nôtre, programmable en BASIC, était plus simple. Plus réussi que le 4000, il présentait quelques inconvénients.

Nous avions choisi la bande perforée pour charger le BASIC ; or, d'une part, ce support a une cadence très lente — 10 octets/seconde — et, d'autre part, le langage lui-même est un très gros programme. Pour mettre en marche le 3300, il fallait donc alimenter la machine en énormes quantités de papier à un rythme très lent : quarante minutes au moins étaient nécessaires et, en cas d'anicroche, il fallait recommencer depuis le début. Enfin, cet appareil utilisait, pour rentrer les instructions, un télétype au lieu d'un écran.

En grande partie à cause de tous ces problèmes d'entrées de données, nous n'en avons jamais beaucoup vendu. A ma grande surprise, des clients australiens ont trouvé comment s'en servir efficacement et nous ont écrit des lettres enthousiastes.

Tandis que nous nous battions pour concevoir des ordinateurs, la vente des calculatrices continuait de progresser, mais des signes inquiétants laissaient présager que l'euphorie ne durerait pas. En 1970, notre entreprise employait mille quatre cents personnes, nos ventes atteignaient environ vingt-sept millions de dollars et nos bénéfices trois millions, mais le prix des appareils s'effondrait à cause de la concurrence.

La pression la plus forte s'exerçait sur les calculatrices les plus simples. En 1971, le prix de base de la série des 300 était tombé à six cents dollars. J'organisai une réunion avec le personnel du marketing pour discuter de la question. Etant donné les tendances du moment, le prix allait vraisemblablement continuer à baisser pour finir par descendre à cent dollars. Autre signe inquiétant : l'arrivée imminente sur le marché des puces contenant tous les circuits d'une calculatrice. Les analystes connaissaient l'existence de cette LSI (Large-Scale-Integration, Intégration à Grande Echelle) et nous demandaient sans cesse comment nous répondrions à cette menace. Personne n'avait encore fabriqué de calculatrices dotées de puces, mais, à l'évidence, c'était possible, et un jour ou l'autre, nous allions apprendre que c'était fait. Le marché appartiendrait alors à ceux qui produiraient les LSI, et ce ne serait certainement pas nous, car nous n'avions aucune expérience des circuits intégrés.

Ces circonstances plaidaient pour notre retrait du marché des machines à calculer. D'un autre côté, leurs ventes représentaient au moins 70 % de nos recettes. Toutes proportions gardées, si Wang cessait de construire des calculatrices, ce serait comme si IBM arrêtait de fabriquer de gros ordinateurs.

Il me fallut quelques semaines de réflexion pour aboutir à cette décision, et huit jours supplémentaires pour mettre au point ma tactique. Notre repli s'effectuerait par étapes : nous allions commencer par ne plus mettre l'emphase sur les gammes 300, 200 et même 100 que nous venions de lancer, mais poursuivre les séries 700, 600 et 400 qui, très sophistiquées, n'étaient pas touchées par la baisse. Il nous faudrait aussi redoubler d'efforts pour trouver de nouveaux débouchés.

Cette décision a été très mal accueillie par bon nombre de mes collaborateurs. Chargé alors du marketing et des ventes, John Cunningham — futur directeur général de Wang Laboratories — ne ménagea pas ses critiques, suivi en cela par quelques-uns de ses collègues. Grâce aux calculatrices, Wang, obscur fabricant d'équipement spécialisé, était à présent une entreprise reconnue sur le plan international et, du point de vue psychologique, il semblait impossible à certains de nos directeurs d'envisager l'abandon du marché uniquement à cause d'une concurrence accrue.

Ils m'opposèrent toutes sortes d'arguments, insistant sur l'importance stratégique des machines à calculer, sur le maintien de notre part de marché et proposèrent que, au lieu de nous retirer, nous nous mettions en contact avec des fournisseurs de LSI pour fabriquer des calculatrices à bas prix.

Aucune de leurs propositions ne prenait en compte le problème majeur pour l'avenir de la société : n'étant pas des fabricants de semi-conducteurs, nous serions confrontés à une chute continuelle des prix, sans pouvoir contrôler le coût de l'élément de base des calculatrices. Si nous les avions écoutés, nous aurions sans doute connu le sort de l'un de nos concurrents, Bowmar Instruments Corporation. Entrée sur le marché au moment où nous en sortions, cette firme avait lancé à Noël 1971 la Bowmar Brain, première calculette à LSI. Diffusée par Abercrombie & Fitch, elle était vendue au début deux cent cinquante dollars. Elle possédait un écran LED (Light-Emitting Diode, diode électroluminescente) et quatre fonctions : addition, soustraction, multiplication, division.

Peu après, Texas Instrument, Hewlett-Packard et de nombreuses autres compagnies mettaient en circulation des calculettes fabriquées avec leurs propres LSI. Mes prévisions, selon lesquelles le prix des calculatrices élémentaires descendrait jusqu'à cent dollars, étaient bien trop optimistes. Deux ans plus tard, les calculettes coûtaient vingt dollars et les calculatrices programmables, plus puissantes, moins de cent. Aujourd'hui, les machines d'une capacité égale à la LOCI — vendue six mille sept cents dollars en 1965 — ont la dimension d'une carte de crédit et sont si bon marché qu'on les offre en prime. Bowmar, qui ne fabriquait pas les puces, n'a pas pu soutenir la concurrence avec des compagnies comme Texas Instruments, et a fait faillite.

Cette décision de nous retirer du marché relève plus de la capacité de tirer rapidement les conclusions qui s'imposent que de la chance. Même un peu occultées par le succès des calculatrices, les informations justifiant cette décision étaient indiscutables. Il s'agissait cependant d'une démarche d'autant plus difficile qu'il convenait de déterminer immédiatement les produits susceptibles de maintenir la croissance de l'entreprise. Heureusement, nous avions à cette époque deux projets déjà très avancés.

Le premier était un ordinateur universel. Après nos premiers flottements, nous avions fini par mettre au point une machine à l'avenir prometteur. Vers le milieu de 1971, le 2200 était pratiquement prêt. Il représentait l'aboutissement des leçons apprises durant nos trois précédentes tentatives.

Nous avions tout particulièrement étudié la question de l'entrée des données et des instructions, point noir du 3300. Cette fois, l'enregistrement des programmes s'effectuait au moyen de cassettes magnétiques (elles ont très vite cédé la place à des disquettes), et un écran cathodique remplaçait le télétype ; l'interpréteur BASIC réalisé par Dave Moros (ingénieur de chez PHI) pour le 3300, lui, n'avait pas changé ; simplement, pour le 2200, les ROM contenant le BASIC et son interpréteur occupaient une seule puce, ce qui résolvait les problèmes de mémoire et de chargement. De plus, nous avons créé simultanément une première base d'applications de l'EPROM (Erasable Programmable ROM, mémoire morte programmable effaçable), permettant de mettre à jour les ROM sans être obligé d'acheter constamment de nouvelles puces. L'utilisateur pouvait aussi reprogrammer l'EPROM. (J'ai même suggéré à Robert Noyce, fondateur d'Intel, de développer des puces EPROM plus grosses, à des coûts toujours plus

186

bas, et de profiter de leur flexibilité pour en élargir les applications. C'est ce qu'il a fait, mais d'une manière trop peu agressive pour empêcher les Japonais de s'implanter solidement dans ce domaine. Intel a gagné beaucoup d'argent avec les EPROM, mais a fini par abandonner une grande part du marché aux Japonais.)

Nos économies sur les coûts de revient nous ont permis de réaliser et de vendre notre ordinateur à un prix susceptible d'attirer les programmeurs frustrés d'avoir dû jusque-là se contenter de la 700. Il avait d'ailleurs les avantages d'une calculatrice. Quand on le mettait en marche, l'écran affichait « Prêt » : la ROM avait déjà accompli la fastidieuse mise en route que la plupart des ordinateurs exigeaient de l'opérateur. Pour charger un programme, il suffisait d'appuyer sur le bouton « Chargement ». C'était un ordinateur aussi facile d'utilisation qu'une calculatrice. Là encore, notre principal objectif avait été la facilité d'utilisation.

Pour ces raisons, et pour éviter les pièges attachés au mot « ordinateur », nous avons présenté le 2200 comme une calculatrice-ordinateur. En réalité, il s'agissait d'un mini-ordinateur, s'adressant aussi bien à des hommes d'affaires, qu'à des statisticiens ou à des ingénieurs. En vente depuis la fin de 1972, il a été sans cesse perfectionné et, même s'il ne représente aujourd'hui qu'un petit pourcentage de notre chiffre d'affaires estimé à deux milliards six cents millions de dollars, nous en vendons davantage qu'en 1973.

Sa mise au point n'a pas nécessité un investissement aussi considérable qu'on pouvait le supposer. En tout, nos trois essais ont peut-être demandé un travail correspondant à six ou huit années-ingénieurs, soit deux cent cinquante mille dollars. Aucun de ces projets n'a rassemblé beaucoup de monde, car je préférais affecter à chaque étude une petite équipe très motivée. L'une d'elles, celle qui a conçu la calculatrice 700, a créé un produit très réussi, même si ce n'était pas celui prévu au départ.

D'ailleurs, erreurs et faux pas font partie du processus de création. Pour une société saine et diversifiée, des échecs comme ceux du 4000 ou du 3300 n'entraînent pas la ruine. Les erreurs sont dangereuses dans la mesure où elles ne sont pas source d'enseignements et où l'entreprise ne mise que sur un seul projet.

La seconde série de produits qui nous a aidés à combler le vide laissé par l'abandon progressif des calculatrices concernait le matériel de traitement de texte. Là aussi, nous avons connu quelques difficultés, mais cela en valait la peine. Le traitement de texte contribua à notre croissance en flèche. Entré en 1978 dans le « club des 1000 » — les 1 000 plus grosses sociétés d'après le classement établi par le magazine *Fortune* —, trois ans plus tard, Wang Laboratories accédait au « club des 500 ».

11

Irruption dans le « club des 1000 »

Si un événement a marqué le monde de l'informatique dans les années 1970, c'est bien le lancement de notre premier système de traitement de texte à écran. Dès l'instant où il a été annoncé, il est apparu comme véritablement révolutionnaire et a connu un succès tel que la presse, qui avait jusque-là assimilé Wang à une firme de calculatrices, commença à parler de la « compagnie de traitement de texte Wang ». Le WPS (Word Processing System) a ainsi mis fin à une longue et difficile période de transition qui commença au début des années 70.

De 1970 à 1975 en effet, l'économie mondiale, la société américaine et Wang Laboratories avaient été secouées par une succession de crises : deux récessions, inflation consécutive à la fin de la guerre au Vietnam, embargo sur le pétrole, création de l'OPEP et première hausse sans précédent du prix du carburant.

Tandis que la société américaine procédait à un examen de conscience provoqué par la guerre du Vietnam et par le Watergate, l'informatique préparait l'explosion de ce qu'on a appelé « l'ère de la micro ». Cette révolution technologique avait partie liée avec la commodité et la facilité d'emploi de l'ordinateur : développement de microprocesseurs et de logiciels permettant à tout un chacun de manipuler textes et données sur un écran de télévision, et progrès continuels des mémoires externes. Que cette évolution ait passionné à ce point le public américain produisit une sorte de choc dans ce qu'on a coutume d'appeler l'establishment informatique. En 1969, un article publié dans *Datamation* avait rapporté les prédictions d'éminents informaticiens pour la prochaine décennie. Aucun d'entre eux ne prévoyait l'extraordinaire impact qu'auraient les ordinateurs dans les bureaux.

Responsable d'une compagnie qui, sans doute, représentait le mieux cette révolution — et en profitait le plus —, je ne peux pas non plus affirmer que j'en avais imaginé l'étendue. Je savais, cependant, qu'il existait de fantastiques possibilités dans ce domaine et que nous étions bien placés pour les exploiter.

C'est au cours de cette période que nous avons, pour la première fois, affronté directement IBM. Quand, en 1971, nous avions décidé de descendre dans l'arène, les médias nous avaient trouvés bien présomptueux. Alors deux cent vingt-cinq fois plus importante que nous, IBM contrôlait 80 % du marché que nous convoitions. Sept ans plus tard, nous occupions la première place et IBM était seulement soixante-onze fois plus puissante que Wang, écart encore trop grand bien sûr, mais le fossé se comblait de manière spectaculaire. Cet affrontement n'a pas entraîné pour nous les conséquences désastreuses auxquelles beaucoup s'attendaient, car j'avais prévu de concentrer notre attaque sur leur point le plus faible.

A la fin des années 1960, j'avais lu une étude constatant qu'un ouvrier était en moyenne entouré d'un matériel d'une valeur de quinze mille dollars lui permettant d'accroître sa productivité, contre quatre cents pour un employé de bureau — machine à écrire, papier, crayon, etc. Si les ordinateurs avaient déjà pénétré le marché des affaires pour le traitement de données et les bulletins de salaire, ils ne faisaient pas encore partie de l'environnement quotidien. J'en vins à penser que les bureaux restaient un territoire encore inexploité, auquel nous pouvions nous attaquer du point de vue technologique. D'ailleurs, on comptait davantage d'employés que d'ouvriers, et ce chiffre ne pourrait que croître.

En 1968, j'engageai trois personnes pour étudier les perspectives offertes dans le domaine du traitement des informations, des télécommunications et des affaires. Chargé de ce dernier projet, Ed Lesnick passa beaucoup de temps à observer PHI, notre département de prestations de services. Une chose retint son attention : un programme de traitement de texte direct chargé dans l'ordinateur qu'exploitaient leurs machines à écrire connectées en tant que terminaux. Vendue par la compagnie VIP Business Products, cette machine n'était en rien comparable aux appareils actuels avec écran, mais possédait une fonction de recherche et de remplacement d'un mot ou d'une phrase, ainsi qu'une fonction de justification.

Le marché du traitement de texte était alors contrôlé presque exclusivement par IBM et la majorité des systèmes disponibles se contentaient d'automatiser certaines tâches répétitives. Sans écran, la mise en forme restait difficile. Il me sembla qu'il y avait là un champ d'application intéressant, mais comme, en 1968, nous ne maîtrisions pas encore suffisamment la technique pour concevoir un produit compétitif, je préférai mettre mon idée en veilleuse.

Deux ans plus tard, nous avions acquis la maîtrise nécessaire et je décidai alors que nous pouvions nous attaquer sérieusement au marché. En effet, nous disposions à présent de la gamme des calculatrices 700. Entre 1968 et 1970, nous avons loué une machine de traitement

191

de texte IBM, la MTST (Magnetic Tape Selectric Type-writer), afin d'en étudier les caractéristiques et les applications. En l'examinant, nous nous sommes rendus compte que nous possédions déjà la plupart des composants permettant de fabriquer un appareil plus performant. Ainsi, la 700 fonctionnait avec un clavier Selectric (le même que celui utilisé sur la MTST) et pouvait recevoir l'information à partir de cassettes. Il suffirait de réécrire le programme-moniteur enregistré dans la ROM de la 700 pour en faire une machine à traitement de texte.

En novembre 1971, nous avons fait notre entrée sur le marché avec la 1200, une véritable machine à écrire automatique dotée de quelques fonctions d'édition. Une secrétaire (à cette époque, la plupart étaient des femmes) pouvait taper sur un terminal une lettre qui serait enregistrée sur cassette et qu'elle pouvait modifier en utilisant les codes de commande ; quand il fallait l'imprimer, elle pouvait le faire automatiquement, sans fautes de frappe, et à la vitesse de 175 mots minute. Une fonction de recherche lui permettait de trouver et de corriger une ligne à la fois, ce qui signifiait qu'elle pouvait mettre en mémoire sur cassettes toutes sortes de textes et de lettres types susceptibles d'être modifiés ou imprimés à la demande.

Comparé à ceux d'aujourd'hui, ce système était très primitif, mais sa supériorité sur une machine à écrire électrique donnait une idée des gains de productivité réalisables dans ce domaine. Selon nos études, au début de 1970, une lettre d'affaires courante de 250 mots revenait à trois dollars trente et un. Une dactylo tapait en moyenne 18 mots minute pour un brouillon et plus lentement pour la copie définitive. Malgré l'absence d'écran et malgré son prix, la 1200 réduisait de moitié le coût moyen d'une lettre.

Avec la sortie de cette machine, nous affrontions IBM pour la première fois, c'est pourquoi nous eûmes droit à l'attention des médias, curieux de connaître cette petite compagnie qui osait provoquer le géant. IBM nous avait même demandé la possibilité d'assister à la conférence de presse que nous donnions à New York, et quand un journaliste me demanda : « Comment croyez-vous qu'IBM va réagir à votre produit ? », je répliquai : « Deux vice-présidents d'IBM sont assis dans le fond de la salle. Posez-leur la question. » Les deux hommes pâlirent un peu quand les journalistes se retournèrent vers eux.

Selon moi, IBM ne réagirait pas immédiatement. D'abord, elle avait beau contrôler 80 % du marché, celui-ci ne représentait qu'une très petite partie de son empire. Nous lui prenions le petit doigt, pas le bras tout entier. Et puis, je me souvenais de mes négociations avec ses dirigeants dans les années 1950. S'ils étaient compétents et agressifs, ils restaient très bureaucratisés et, par cela même, lents à réagir. Ce dernier facteur se révéla très important pour nous, car, au début, nous avons connu quelques problèmes avec nos appareils. Il nous a fallu plusieurs années pour perfectionner nos produits et être sûrs de posséder un outil nettement supérieur à ce qu'offraient IBM ou d'autres firmes. Entre 1972 et 1975, nous étions extrêmement vulnérables et IBM aurait pu nous balayer. Mais elle n'a pas su développer sa propre technologie dans ce domaine, nous permettant ainsi de tirer les leçons de nos erreurs et d'y remédier.

Certains de nos ennuis venaient d'ailleurs d'IBM. Nous utilisions, en effet, leur machine à écrire Selectric comme terminal de la 1200. En novembre 1971, nous avons annoncé la sortie de notre machine et, pendant les six mois suivants, nous nous sommes préoccupés d'en préparer la production. Cependant, malgré des mises au point successives, ces appareils ne répondaient toujours pas à nos critères de qualité. De plus, lorsqu'au cours de l'été 1972, nous en avons enfin commencé la livraison, de nouveaux problèmes surgirent. Par exemple, pendant le tirage, le chariot de l'IBM Selectric avait tendance à sauter. La cause de cette anomalie restait obscure, d'autant qu'IBM refusait de nous fournir les spécifications de sa machine. Inutile de dire que les conséquences sur les recettes étaient bien plus claires !

Il y avait une demande fantastique pour la 1200 que nous avons commencé à mettre en place en location, mais ce chariot capricieux irritait les clients et certains d'entre eux allèrent jusqu'à résilier leur contrat. A un moment donné, nous avons compté 80 % d'annulations. La situation devenait sérieuse, car nous avions espéré, grâce à ce produit-clé, quitter le domaine des calculatrices.

Ces ennuis, mais aussi la médiocre conjoncture économique, entraînèrent, en 1972, la première baisse de bénéfices (16,6 %) de l'histoire de notre compagnie. Aucune amélioration ne se produisit ; au contraire, pendant quelques semaines, pas une seule de nos machines n'imprimait correctement. Au cours du premier trimestre, nous avons enregistré un déficit, lui aussi historique. Peu important certes — cent seize mille dollars —, mais je suis persuadé que, sans nos difficultés avec la 1200, il aurait pu être évité.

Finalement, Ed Lesnick demanda à deux techniciens d'IBM de venir examiner notre machine. Ils remarquèrent immédiatement qu'une pièce manquait, le ressort d'équilibrage du chariot. Ils le posèrent sur la 1200 qui, aussitôt, fonctionna normalement. Naturellement, toutes les machines qu'IBM produisait pour son propre marché en étaient dotées. Une vérification de nos autres Selectric montra qu'aucune d'elles ne comportait ce fameux ressort. Furieux, Lesnick téléphona au vice-président responsable de ces machines et lui dit : « Ici, Lesnick de Wang Laboratories. Vous autres, vous nous avez bien eus.

Vous nous avez vendu sciemment un produit avec une pièce manquante. Pour la première fois de notre histoire, nous avons enregistré une perte et vous en êtes responsables. »

Son interlocuteur prétendit qu'étant fabriquée uniquement pour le marché OEM (original equipment manufacturer : fabricants de matériel d'origine), la Selectric que nous avions achetée n'avait pas besoin du ressort en question. Cependant, après cette conversation, IBM dépêcha à Tewksbury dix agents du service de maintenance pour monter la pièce manquante sur toutes les machines.

Par curiosité et pour savoir s'il y aurait là sujet à poursuites contre IBM, Ed Lesnick essaya, mais sans succès, de joindre Evelyn Berezin, présidente de Redactron, une société concurrente utilisant comme nous la Selectric. Rencontrant Mme Berezin quelques années plus tard, il apprit que Redactron avait connu les mêmes ennuis que nous sans pouvoir en découvrir la cause. IBM avait simplement oublié de signaler l'existence de ce ressort d'équilibrage.

Si nous nous efforcions de résoudre les problèmes de production de la 1200, nous nous occupions aussi des ventes et du marketing. Le marché de la bureautique était très différent de ceux auxquels nous étions habitués, assez différent pour justifier la création d'une force de vente uniquement chargée du matériel de traitement de texte. Comme il s'agissait d'un produit destiné à rendre la vie plus facile aux secrétaires, nous avons recruté un bon nombre de vendeuses. Beaucoup d'entre elles étaient d'anciennes secrétaires et comprenaient parfaitement en quoi la 1200 pouvait rendre le travail plus agréable.

Malgré nos efforts pour la positionner correctement et la vendre, la 1200 n'a jamais vraiment répondu aux espoirs que j'avais placés en elle. Elle constituait un perfectionnement par rapport à la machine à écrire électrique, mais comportait encore de sérieux handicaps. Sans écran, il était difficile à la secrétaire de se rappeler exactement où elle en était dans le texte et ce qu'elle avait fait. D'autre part, les commandes d'édition nécessitaient un effort de mémoire qu'on était en droit d'attendre davantage d'un programmeur que d'une secrétaire. En fin de compte, nous avons ajouté un écran à une ligne sur l'appareil, mais cela restait encore insuffisant pour l'édition de textes longs.

Entré chez nous en 1974 après son départ de chez Sanders Associates, Carl Masi fut chargé de la campagne de marketing de la 1200 qui, en 1975 et malgré ses limites, était bien placée sur le marché. C'est alors que Xerox lança sa machine à écrire automatique, la 800. D'un maniement aussi malaisé que la nôtre, elle possédait cependant une imprimante Diablo, deux fois plus rapide. Ses performances découragèrent nos commerciaux qui ne savaient plus quel argument utiliser pour vendre leurs machines.

Pour parer à cette menace et remédier aux défauts de la 1200, nous avons décidé de développer une nouvelle gamme de produits, mais en procédant autrement. Jusque-là, nous nous étions servis de dispositifs électroniques mis au point pour d'autres systèmes et avions présenté une machine assez semblable à celles de nos concurrents, sans prendre véritablement en compte les désirs et les difficultés de l'utilisateur. Cette fois le problème fut abordé sous un angle complètement différent : une équipe, dirigée par Harold Koplow, se préoccupa uniquement de ce qu'une secrétaire pouvait demander à sa machine et, ensuite seulement commença à en établir les spécifications.

A l'époque, il existait un ou deux systèmes à écran, construits surtout par AES et Vydec. Koplow et son équipe examinèrent ces appareils, mais ne les trouvèrent guère intéressants. Sans idée préconçue, ils se mirent à rédiger une notice d'emploi pour machine à traitement de texte. Travaillant en contact étroit avec notre centre spécialisé, ils finirent par présenter le manuel d'une machine, que n'importe quelle secrétaire pourrait apprendre à utiliser en une demi-heure, mais possédant néanmoins toutes les qualités attendues dans ce genre d'appareil.

Cette fois, la primauté serait donnée à l'écran et non plus à la frappe elle-même. Cela signifiait que l'utilisateur pouvait manipuler le texte en déplaçant les mots apparus sur l'écran. Alors que la frappe l'obligeait à mettre les données en forme ligne par ligne, le grand écran lui permettait de travailler sur des documents entiers. La différence la plus sensible entre ce nouveau système et ceux déjà commercialisés résidait dans des séries de menus destinés à guider l'utilisateur dans ses opérations. Pour chaque décision à prendre, la secrétaire se verrait offrir une série très précise d'options écrites en un langage clair. Il lui suffirait de donner ses ordres et la machine obéirait. Elle serait la plus conviviale de celles proposées alors. C'était probablement le premier ordinateur à la portée de tous.

Quand nous avons constaté que toutes les personnes lisant ce manuel s'exclamaient :« Quel appareil magnifique ! » — à ce moment-là seulement —, nous avons commencé à en définir les spécifications. A un directeur de marketing venu un jour se plaindre que cette nouvelle machine allait entraîner un effondrement des ventes de la 1200, je répondis : « Parfait, construisons-là ! ».

En 1975, en plein essor, la compagnie subit un autre choc financier. Cette fois, les problèmes étaient directement imputables à la crise pétrolière de 1974. La 1200 ne répondant pas à notre attente, notre croissance dépendait essentiellement des ventes de la calculatrice 700 et de l'ordinateur 2200. En 1975, ces deux appareils possédaient d'énormes bibliothèques de logiciels d'applications, dont un grand nombre réalisés par des clients. Deux ingénieurs de Westinghouse avaient trouvé si lucratif d'écrire et de vendre des programmes pour la 700 achetée par leur compagnie qu'ils avaient démissionné et fondé leur propre société de service et de conseil en informatique.

Ken Sullivan, un de nos vendeurs de Chicago, avait lui aussi conçu un programme original. En 1969, alors qu'il travaillait sous les ordres de Bob Doretti, notre directeur dans cette ville, Sullivan avait rendu visite à un concessionnaire de voitures installé à Joliet (Illinois). Au cours de la conversation, celui-ci signala qu'il souhaiterait disposer d'un système susceptible d'aider les vendeurs à se conformer au Truth in Lending Act, récemment adopté, aux termes duquel les prêteurs devaient informer leurs clients des véritables conséquences financières de leur emprunt. Après avoir entendu d'autres vendeurs évoquer le même besoin, Sullivan décida d'écrire pour la 700 un logiciel effectuant les calculs exigés par le Truth in Lending Act et demanda une semaine de congé qui lui fut naturellement accordée.

Présenté en février 1970 à la convention annuelle de la NAAD (Association nationale des concessionnaires d'automobiles), le programme reçut un accueil enthousiaste des quelques vingt-huit mille personnes présentes et certains des plus importants concessionnaires de voitures du monde le commandèrent sur-le-champ.

Ils s'aperçurent alors que le logiciel, non seulement les aidait à se conformer aux exigences de la loi, mais pouvait aussi leur servir d'outil de vente ; en effet, leurs clients leur demandaient souvent de s'occuper des formalités à accomplir pour le paiement échelonné des voitures, en s'adressant soit aux organismes de crédit des constructeurs, soit à des sociétés de financement. D'habitude, cette opération prenait un jour ou deux. Or, l'acheteur d'une voiture est éminemment capricieux. Si on ne lui présente pas le formulaire à signer à l'instant précis où il est disposé à acheter, on peut manquer la vente.

Justement, notre programme permettait aux concessionnaires de calculer immédiatement le montant du remboursement mensuel de l'emprunt et, s'il ne convenait pas à l'acquéreur, d'établir aussitôt un autre contrat. De plus, le vendeur s'arrangeait souvent pour trouver un plan de remboursement donnant à son client la possibilité d'inclure les options dans son contrat. Celles-ci rapportant plus que la vente de la voiture elle-même, on comprend l'empressement des concessionnaires. Ainsi, Dodge Chu, chef des ventes de la calculatrice à Hawaii réussit à vendre une 700 et le programme à chaque concessionnaire de l'Etat.

Ensuite, les grandes compagnies d'assurance se sont elles aussi intéressées à ce logiciel, car il leur permettait de calculer — et de vendre — des assurances accidents, des assurances maladie et des assurances-vie. La Globe Life Insurance de Chicago acheta une centaine de calculatrices et de logiciels, de loin la plus grosse commande enregistrée jusqu'alors par Wang.

Les différents logiciels constituèrent l'événement clé de la transformation de Wang qui, jusque-là orientée vers une clientèle à prédominance scientifique et technique, devint une compagnie dont les clients étaient essentiellement des hommes d'affaires.

En 1973, avant l'effondrement du marché automobile, l'ensemble matériel-logiciel vendu aux concessionnaires représenta 70 % de notre chiffre. Voilà pourquoi nous avons été frappés de plein fouet par l'arrêt brutal des ventes de voitures résultant des problèmes du pétrole. Au cours de l'exercice 1975, la vente des calculatrices et des ordinateurs formait encore 83 % de nos recettes, mais la diminution de 20 % des ventes de la 700, consécutive à la crise, eut une incidence considérable sur nos profits, qui furent inférieurs de 33 % à ceux de l'année précédente. Pourtant, même entre 1970 et 1975, et malgré des bénéfices en dents de scie, les recettes globales augmentèrent. En 1975, nos ventes totalisaient soixante-six millions de dollars, plus de dix fois leur volume de 1967 — date de notre entrée en Bourse — et trois fois celui de 1970.

L'instabilité des bénéfices nous obligea à accroître nos emprunts bancaires. Un marché financier fluctuant ainsi que la faiblesse du cours des titres Wang — qui descendit presque jusqu'à son prix d'émission — nous empêchèrent de recourir à la Bourse pour assurer notre trésorerie, nous contraignant à nous tourner vers les banques pour financer notre croissance.

Les problèmes nés de la hausse du carburant nous ont aussi contraints à réduire nos charges salariales. Nous avons diminué les salaires de tout le personnel, cadres et employés. J'ai même dû prendre une mesure très pénible et, pour la première fois dans l'histoire de la compagnie, licencier quarante personnes. Heureusement, à la fin de l'année, j'ai pu en embaucher à nouveau la plus grande partie.

En 1976, ces problèmes désormais surmontés, nous avons entamé une progression très inhabituelle dans les annales de l'économie américaine, compte tenu de l'âge et de la taille de Wang Laboratories au moment ou ce processus s'enclenchait. A cette date, notre croissance était alimentée par les ventes d'ordinateurs tels que le 2200 et le WCS (Wang Computer System), le dernier de nos appareils. Mais, à partir de 1977, elle a connu une accélération foudroyante avec notre entrée sur le marché de la bureautique, entrée que laissaient présager les programmes du 2200 élaborés pour le monde des affaires.

Cet ordinateur était surtout utilisé par de petites entreprises, à quelques exceptions près, dont la vente à United States Lines de sept de nos machines pour les aider à effectuer certaines de leurs opérations portuaires internationales. Cet exploit de deux de nos représentants, Stan Rose et Dick Orlando, était d'autant plus remarquable qu'IBM avait pratiquement enlevé le contrat au moment où nous avons commercialisé notre ordinateur. IBM n'avait pas l'habitude de devoir vanter la qualité de ses produits, sa réputation suffisait. En la battant sur le fil, nous comprîmes que nous pouvions enlever des marchés à IBM en l'obligeant à *vendre* ses produits.

Si le 2200 était déjà utilisé dans quelques grandes entreprises, le WPS, système de traitement de texte basé sur écran, nous a réellement permis de prendre pied dans les sociétés les plus importantes, celles appartenant au « club des 1 000 ». Voilà pourquoi cet ordinateur a joué un rôle capital dans la stratégie de notre compagnie.

Nous avons présenté la machine en juin 1976, à l'exposition Syntopican de New York, première foire mondiale de systèmes de traitement de texte. Notre prototype venant juste d'être terminé, nous n'avions que trois vendeurs capables d'en faire la démonstration. Mais un événement se produisit alors, prouvant que notre matériel était révolutionnaire. Nous disposions d'un petit stand dans le hall des congrès, ainsi qu'un salon au Hilton où se tenait l'exposition. L'annonce que nous allions présenter une nouvelle machine s'était répandue comme une traînée de poudre et, dès le début de la première démonstration, les curieux s'étaient massés devant le stand et sur une profondeur de dix rangs. Le salon était tellement bondé qu'il nous fallut distribuer des invitations pour canaliser la foule. Il ne s'agissait que d'un prototype pas encore au point (les imprimantes n'étaient pas opérationnelles), mais les gens voyaient le texte se mettre en forme sur l'écran et trouvaient cela magique.

A la fin de la première journée, Carl Masi demanda à nos trois démonstrateurs, malgré leur fatigue, de former immédiatement notre équipe new-yorkaise de vendeurs. Qu'ils aient pu le faire en quelques heures montre combien l'ordinateur était simple à utiliser.

L'équipement de base était tellement supérieur à tout ce qui existait déjà qu'après avoir vu l'appareil — et malgré son prix de trente mille dollars (pour la version à disque dur) —, un client passa, sans sourciller, une commande d'un million de dollars.

En dépit de cette promotion de bouche à oreille et malgré l'excitation ambiante, nous avons eu du mal à mettre au point notre opération de marketing. Au début, le WPS a été commercialisé de manière très artisanale. Nous avions pourtant une force de vente entièrement axée sur ces machines à traitement de texte. Trois groupes de vendeurs spécialisés s'y consacraient à New York, Washington et Chicago, mais dans les quelques autres vingt-cinq districts, le directeur régional chargé de cette branche devait aussi superviser les ventes d'ordinateurs. Il en résultait que, dans ces régions, personne ne surveillait ni n'aidait les vendeurs de notre nouveau système.

Pour mes clients enthousiastes et pour moi-même, il apparaissait clairement que le produit était supérieur à tout ce qui existait sur le marché, mais mal exploité par nos propres vendeurs. Je compris que, si je ne prenais pas les

202

choses en main, nos concurrents réagiraient avant que nos systèmes ne soient solidement implantés sur le marché.

Je décidai donc de créer un département uniquement affecté à la vente de cet appareil et nommai mon fils Fred à sa tête. Cette nomination soulignait à quel point ce produit me tenait à cœur. C'était aussi la première occasion pour Fred de faire preuve de dynamisme dans une action cruciale pour la société.

Ces dispositions convainquirent nos différents directeurs de l'importance stratégique du WPS. En peu de temps, le matériel de traitement de texte fit son apparition dans les bureaux des sociétés du « club des 1000 ». Une des conséquences de cette expansion fut le bond en avant — en termes de ventes et de bénéfices — du nouveau département, d'abord considéré avec un peu de dédain par les commerciaux des autres divisions — calculatrices et gros ordinateurs. J'ajoute qu'une année quatre de nos cinq meilleurs vendeurs étaient des femmes, et tous les cinq vendaient des systèmes de traitement de texte. J'appréciais d'autant plus ce résultat que je me suis toujours moqué du préjugé selon lequel les femmes ne seraient pas faites pour travailler dans la technologie de pointe.

Pour vendre nos appareils, nous avons tenu compte de la façon dont les entreprises du « club des 1000 » décidaient de leurs achats. Avant d'adopter une nouvelle technologie, la plupart d'entre elles demandaient une analyse quantitative approfondie du produit. Rosalie Papoutsy, une de mes anciennes secrétaires passée à la commercialisation du WPS, consacra beaucoup de temps à rassembler les éléments nécessaires à cette analyse, qui devinrent des arguments de vente et nous permirent de persuader des organismes comme la First National Bank de Chicago que le WPS serait amorti au bout d'un temps déterminé à l'avance.

Régulièrement, mon épouse Lorraine veille à rappeler au personnel le rôle joué par les femmes dans la croissance de la compagnie. Chaque année, nous organisons une réunion en l'honneur des « battants », employés dont la contribution a été particulièrement efficace. A cette occasion, Lorraine adresse une allocution — c'est devenu une tradition — au cours de laquelle elle souligne l'importance des femmes dans la société, et spécialement le rôle qu'elles ont joué dans l'envolée de nos ventes de systèmes de traitement de texte.

Grâce au traitement de texte, nous nous étions introduits dans les sociétés les plus importantes. Pour consolider notre implantation et nous faire mieux connaître, nous avons décidé, et cela pour la première fois, de lancer une campagne de publicité à la télévision. A l'époque, cela coûtait assez cher et IBM était la seule à le faire. Monter une opération publicitaire télévisée de trois mois consistant en quelques diffusions du même message à des moments de grande écoute, impliquait de doubler notre budget publicitaire annuel.

Les arguments en faveur de cette innovation étaient convaincants. Nous étions alors le trente-deuxième constructeur d'ordinateurs du pays. La plupart des gens du monde des affaires connaissaient uniquement le nom des deux ou trois plus importantes sociétés. La télévision semblait le meilleur support pour nous faire remarquer par le client potentiel, en passant par-dessus les compagnies placées entre IBM et nous. On ne devait plus ignorer notre existence, ne serait-ce qu'à cause du réflexe sécuritaire que l'on peut résumer par cette phrase : « Personne n'a jamais été renvoyé pour avoir acheté du matériel IBM. » Si nous voulions persuader les très prudents directeurs qu'acheter Wang était tout aussi sûr, nous devions avant tout faire connaître notre nom.

Organisée par Hill, Holliday, Connors, Cosmopoulos, une agence publicitaire de Boston, la campagne fut centrée autour du thème de David et Goliath, David étant Wang et Goliath, le plus puissant constructeur d'ordinateurs du monde. La bande annonce représentait un jeune homme audacieux interrompant une réunion d'un conseil d'administration sur le point de signer avec Goliath pour demander : « Avez-vous pensé à Wang ? » Puis, malgré l'air irrité de ces hommes d'affaires intimidants, il commençait à énumérer, avec beaucoup d'assurance, les avantages du matériel Wang et finissait par emporter l'adhésion du PDG.

La chance a joué son rôle dans cette histoire. Jack Connors, de l'agence, voulait diffuser le message télévisé en janvier 1978, pendant le Super Bowl. Comme le temps d'annonce coûtait très cher, nous avons dû nous rabattre sur l'émission précédant le match de football. Or, à notre grande joie, nous nous sommes aperçus que la nôtre était la dernière à passer avant le match, autrement dit, la première du Super Bowl.

Ainsi, notre nom a émergé de la foule des autres. Au début de la campagne, Wang n'était connu que de 4,5 % des hommes d'affaires interrogés. A la fin, la proportion atteignait 16 %.

Avant cette opération télévisée, nos vendeurs voyaient souvent leur élan coupé par cette remarque : « Wang ? Jamais entendu parler ! » Après, on leur répondit tout aussi fréquemment : « Wang ? Ah, oui, j'ai vu une pub à la télé. Venez avec moi chez notre directeur. » Cela nous servait de laissez-passer.

Les premiers temps, nos concurrents se moquèrent de cette tactique, mais comme nos ventes grimpaient en flèche, des compagnies comme DEC, Data General, Prime et même Apple firent appel à la télévision dans le même but que nous, mais pas toujours avec le même succès.

En 1978, deux ans après le lancement de notre premier système de traitement de texte à écran, nous étions le principal constructeur mondial de ce type de machines. Avec cinquante mille utilisateurs, nous étions aussi le premier fournisseur de petits ordinateurs de gestion en Amérique du Nord. Nous devions maintenant défendre notre place sur ce marché et renforcer notre présence dans le secteur de la bureautique.

Il est amusant d'entendre raconter aujourd'hui que Wang, société spécialisée dans le traitement de texte, essaie de percer dans celui de l'information. En 1976, j'avais chargé mon fils Fred de ce secteur pour souligner son importance auprès de nos vendeurs qui n'étaient intéressés que par l'informatique. Peu d'employés et d'analystes en sont conscients, mais ceux d'entre nous qui se souviennent de la bataille de 1976 ont envie de sourire en entendant cette version de notre stratégie commerciale.

Nous avions décidé de pénétrer dans les bureaux, parce que, grâce au traitement de texte et ultérieurement à l'informatique et à la télématique, nous pouvions rendre plus productives les personnes les moins payées, les moins puissantes et les plus nombreuses : les secrétaires et les petits employés. Par sa lenteur à réagir, IBM nous a laissé le temps de nous emparer de ce marché qu'elle avait pourtant pratiquement verrouillé au début de la décennie. Mais, à cause du respect qu'inspire IBM, la presse passa largement sous silence notre présence de plus en plus importante dans ce secteur. C'est un problème auquel sont confrontés tous les constructeurs d'ordinateurs.

Pendant toute cette période où nous devenions le n° 1,

nous avons entendu les médias annoncer qu'IBM allait réagir et nous écraser. Puis, en 1985, alors que le secteur connaissait de graves difficultés, la presse se mit à raconter que nous avions perdu notre suprématie sur le marché. Ainsi, on reconnaissait bien que nous avions dépassé IBM dans le domaine du traitement de texte, mais seulement lorsque IBM avait, apparemment, retrouvé sa suprématie. Je suis persuadé que d'autres concurrents trouvent, comme moi, quelque peu frustrant d'avoir à lutter contre cette obsession de la presse à toujours porter IBM au pinacle.

Cela ne veut pas dire qu'IBM ne soit pas partout un adversaire redoutable. Lorsque j'ai décidé d'entrer en compétition avec eux sur le terrain du traitement de texte, je savais que je touchais à un domaine proche du leur. Mais j'estimais aussi qu'il existait des débouchés que cette compagnie n'avait pas encore explorés. Pour avoir négocié avec lui en 1950, je savais que ce colosse n'était pas invulnérable.

12

Garder le contrôle

En 1975, je me suis trouvé confronté au problème que tout créateur d'entreprise doit un jour ou l'autre régler : qui aura la maîtrise du destin de la société ? Pour y répondre, j'ai dû prendre la décision la plus difficile de toute l'histoire de ma société. Ce choix était d'autant plus délicat qu'il se heurtait à une opposition unanime — à l'intérieur et à l'extérieur de la maison. Comme toutes les décisions incombant à un dirigeant, celle-ci comportait un certain nombre d'inconnues. En fin de compte, après avoir entendu les arguments avancés par mes amis et mes conseillers de longue date, j'ai résolu de m'en remettre à mon intuition.

La situation financière ressemblait fort à celle qui avait précédé notre introduction en Bourse. Nous avions pas mal de dettes et, si nous voulions exploiter correctement les possibilités offertes par nos nouveaux systèmes, il nous fallait trouver de l'argent frais. Toutefois, étant maintenant une firme cotée en Bourse, nous pouvions toujours vendre plus d'actions. Il y avait longtemps que nous n'avions pas eu recours à ce procédé. En effet, le marché des capitaux nous avait été fermé au début des années 1970, car les cours proposés étaient trop bas.

A présent, une autre considération me faisait hésiter à

vendre des titres : celle du contrôle de la compagnie. Les premières émissions de titres et d'options ayant abouti en 1975 à une large répartition du capital, le portefeuille de la famille Wang se montait à un peu plus de 52 % des actions. Toute offre complémentaire entraînerait une réduction de ce portefeuille et le placerait au-dessous du seuil des 50 % nécessaires au maintien de la majorité. Le dilemme était le suivant : si je voulais que Wang Laboratories continue à croître, je devrais sans doute abandonner la majorité.

En fait, il nous aurait peut-être suffi de ralentir le taux de croissance pour financer notre expansion avec nos ressources propres. (Dans notre cas, 20 % aurait constitué le taux à ne pas dépasser.) Mais cela risquait de ralentir le rythme de la percée technologique espérée des nouveaux systèmes de traitement de texte à écran. Nous devions être prêts à exploiter cette possibilité, et cela impliquait un développement considérable de l'entreprise.

L'expérience de l'un de nos concurrents, Redactron, nous a apporté la preuve de l'importance d'agir vite. Comme nous, Redactron s'était introduit sur le marché des processeurs avec une machine basée sur la Selectric et, comme nous, il avait essayé de mettre au point un appareil à écran. Mais, contrairement à nous, il avait été racheté par une plus grosse société, Burroughs. La transaction s'était effectuée dans un climat amical. Redactron semblait croire que cela l'aiderait à financer sa croissance dans ce nouveau secteur. En réalité, les lenteurs administratives de Burroughs ont tellement retardé le développement de leur machine à écran qu'elle était déjà démodée lors de son lancement. Redactron n'a jamais pu s'implanter dans le marché de la technologie de pointe, domaine où, il faut le reconnaître, les entreprises incapables de développer, fabriquer et commercialiser rapidement un produit se voient impitoyablement évincées.

Par conséquent, si nous voulions profiter de ces débouchés prometteurs, nous devions, une fois encore, nous tourner vers le marché des capitaux, avec, à nouveau, le problème de la majorité. Depuis notre entrée en Bourse, aucun élément susceptible de changer mon opinion sur l'importance du contrôle majoritaire n'était apparu. La période difficile du début des années 1970 l'aurait été bien plus si j'avais dû affronter un conseil d'administration mécontent, pouvant passer outre à mes avis ou me limoger. Sans cette majorité, ma décision d'abandonner la fabrication des machines à calculer de bureau aurait été repoussée par le conseil, ce qui, étant donné le chiffre de nos ventes, aurait pu paraître raisonnable dans l'immédiat, mais se serait révélé catastrophique à long terme.

Le passage des calculatrices aux ordinateurs et aux systèmes à traitement de texte réclamait de ne pas s'affoler au vu de mauvais résultats financiers passagers. En effet, au cours des années 1972, 73 et 75, nous avions connu une baisse des bénéfices pendant plusieurs trimestres consécutifs et même un déficit. Les actionnaires auraient-ils eu la patience d'attendre que la situation se redresse ? D'ailleurs, un de nos premiers et plus importants investisseurs avait préféré nous abandonner au début des années 1970, quand nos affaires avaient subi un ralentissement. Sans cette majorité, aurais-je pu faire valoir l'intérêt stratégique à nous engager dans le développement du traitement de texte, capital pour le destin de la société ?

Au contraire, pendant cette période mouvementée, j'avais été libre de prendre les décisions qui me semblaient les plus pertinentes, de les faire appliquer et d'agir rapidement. Si le conseil d'administration exprimait souvent son désaccord avec mes méthodes, les trois mandats de la famille Wang restaient toujours décisifs quand la situation devenait critique. Ainsi, la résolution contre laquelle le conseil d'administration s'est prononcé avec le plus de véhémence et pour laquelle il était crucial de posséder la majorité a, sans doute, été celle concernant le moyen de trouver de l'argent, sans perdre justement ce contrôle : je ne l'ai emporté qu'avec une voix de majorité.

J'étudiai la possibilité de transformer les structures financières de la compagnie de manière à ce que nous puissions continuer à émettre des titres mais à droit de vote limité. Je consultai à nouveau George Montgomery, le banquier d'affaires qui nous avait aidés au moment de notre première offre de vente. A la fin de l'automne 1975, John Cunningham, alors, directeur général-adjoint, Harry Chou, trésorier, Ed Grayson — notre secrétaire général, et moi-même allâmes souvent le voir à New York ainsi que quelques autres experts de Wall Street pour en discuter.

La question était compliquée à cause d'une règle — commune au New York Stock Exchange (Bourse) et à l'American Stock Exchange* — interdisant de coter les actions ordinaires (A) d'une compagnie possédant également des actions ordinaires sans droit de vote (B). Elle spécifiait encore qu'il était possible de retirer de la cote les titres d'une entreprise émettant une nouvelle classe d'actions B. Certaines sociétés, Ford Motor Company entre autres, possédaient bien deux classes d'actions avec droit de vote différent négociées en 1975 à la Bourse de New York, mais elles bénéficiaient de la clause de non-rétroactivité. Celle-ci ne pouvait pas s'appliquer aux actions Wang.

On envisagea d'abord d'émettre des actions privilégiées

---

* N.d.T. Sorte de second marché.

à dividende prioritaire, mais à droit de vote limité. Un titre privilégié est assez semblable à une créance garantie par rapport à une créance ordinaire, en ce sens, qu'en cas de liquidation, il est prioritaire sur les actions ordinaires. Les actions privilégiées ne donnant pas, par principe, droit au vote, nous pensions trouver là une réponse à notre problème. A la différence de ce qui se passe pour les obligations, une société peut ne pas distribuer les dividendes des actions privilégiées (même si la plupart du temps ils se cumulent) sans courir le risque d'un défaut de paiement. Les possesseurs de ce titre sont attirés par un dividende garanti s'ajoutant à celui des actions ordinaires.

En finance, tout est relatif et les avantages de l'émission d'actions privilégiées dépendent largement de son coût par rapport aux autres moyens possibles de se procurer des capitaux. Le montant des dividendes versés par les actions privilégiées est déterminé par une évaluation de ces actions effectuée par d'importantes sociétés d'évaluation des titres, tels que Moody's ou Standard & Poor's. Une action de placement est évaluée de façon plus avantageuse qu'une action spéculative. Contrairement à celui des actions ordinaires, le prix des actions privilégiées ne varie pas en fonction des bénéfices et garde une valeur fixe. En décembre, nous nous sommes rendus à New York pour consulter les différentes sociétés d'évaluation. Le moment n'était guère favorable et, en discutant avec les agents de change, nous nous sommes aperçus que nous ne pourrions pas faire évaluer notre action privilégiée comme titre de placement. Nous avons donc abandonné notre idée.

Après avoir examiné d'autres hypothèses, proposées par des banques d'affaires aussi réputées que Goldman, Sachs, je décidai que la meilleure solution serait la plus simple, mais également la plus sujette à controverse : créer des actions de la classe B et les émettre dans toutes nos futures offres de vente. La nouvelle action aurait un dividende plus important que les actions ordinaires, mais un droit de vote d'1/10ᵉ seulement, ce qui permettrait tout de même à ses détenteurs d'élire au moins un quart du conseil d'administration. Selon moi, si on leur en donnait le choix, les investisseurs préfèreraient une plus-value en capital et des dividendes au droit de vote. Je ne peux pas dire que mon raisonnement ait soulevé l'enthousiasme des responsables de la Bourse. Ils nous ont avisé que l'émission de nouvelles actions entraînerait notre décote. J'espérais qu'ils reviendraient peut-être sur cet avertissement, mais il n'en a rien été. (En 1986, la Bourse de New York a fini par modifier les règles relatives au droit de vote, après avoir dû les enfreindre à plusieurs reprises, en particulier dans le cas de l'émission des titres de la classe E de General Motors). En 1975, Wang n'était pas un client suffisamment important et cela ne coûtait pas grand chose à la Bourse de lui fermer la porte au nez.

Je décidai alors de contacter l'American Stock Exchange pour voir comment ce second marché réagirait à ma proposition. Bien que soumis aux même règles, ils estimèrent que les actions de la classe B satisfaisaient à leurs exigences. En effet, expliquèrent-ils, puisque les nouvelles actions donnaient un droit de vote fractionnel permettant d'élire le quart du conseil d'administration, on pouvait les qualifier d'actions ordinaires et coter nos deux types de titres.

Cette proposition me paraissait tout à fait acceptable, mais rencontra l'hostilité unanime de nos directeurs et des membres du conseil d'administration. Ils estimaient pour la plupart que passer d'une Bourse à l'autre représentait une perte de prestige et éloignerait les investisseurs professionnels, d'autant que ceux-ci seraient privés du droit de décider du sort de la société. Toujours selon eux, nous

214

allions sacrifier notre appartenance à la Bourse de New York, en payant tout de même le prix fort pour obtenir des fonds sur le marché des capitaux. Chuck Goodhue avança que ce changement allait faire baisser l'action Wang de moitié. Enfin, certaines personnes, depuis longtemps dans la maison, critiquèrent ce projet, parce qu'elles s'étaient constituées une petite fortune avec les actions Wang et pensaient que je mettais leur investissement en péril pour pouvoir garder le contrôle de ma société.

J'écoutai très attentivement tous ces arguments. Certains venaient de mes conseillers, en qui j'avais la plus grande confiance. Si l'on exceptait une peur générale de l'inconnu parce qu'une telle opération n'avait jamais été réalisée, ces objections tournaient toujours autour de la réaction éventuelle de l'investisseur, ce qui m'amena à me demander ce que celui-ci attendait de l'achat d'une action. Après quelques semaines pénibles de réflexion, j'en conclus que rien de ce que j'avais entendu ne pourrait modifier mon appréciation des priorités de l'acheteur de titres. En tout état de cause, ce débat était de pure forme, puisque je détenais les droits de vote nécessaires pour faire valoir ma décision. La création de titres de la classe B fut votée le 9 avril 1976. Au départ, nous les avons émis sous forme de distribution de parts aux actionnaires sur la base d'une action B pour quatre ordinaires.

Une fois parvenus à un accord avec l'American Stock Exchange, nous avons téléphoné à un responsable de la Bourse de New York pour demander d'être rayés de leur cotation et l'informer de notre transfert. Après nous avoir écoutés très poliment, notre interlocuteur répondit que nous avions commis une erreur, nous remercia et raccrocha. Deux minutes plus tard, il appela le bureau d'Ed Grayson : il savait parfaitement combien j'étais attaché au contrôle de la majorité, mais il était persuadé que si je réfléchissais bien, je me rendrais compte de mon erreur ; aussi tenait-il à nous faire savoir qu'au cas où nous changerions d'avis, il ne nous en tiendrait pas rigueur. Mais je n'avais nulle envie de revenir sur ma décision.

Le 21 avril, nous attendîmes avec anxiété les premières cotations des actions B et A. Les titres A se sont vendus treize dollars soixante-quinze, pratiquement le même cours que la veille. Ceux de la classe B ont coté douze dollars cinquante à l'ouverture et n'ont pas beaucoup bougé durant la journée. La braderie prévue n'avait pas eu lieu. En fait, ces dernières années, les actions B, rapportant des dividendes plus importants que celles de la classe A, se sont souvent négociées à un prix légèrement plus élevé.

Un seul ennui : les transactions étaient nombreuses pour les actions A et faibles pour les B, exactement le contraire de ce que nous espérions. Au bout de quelques semaines, nous avons dû admettre que, si nous avions créé la classe B pour disposer de valeurs actives, sa cote dans les bulletins et journaux restait inférieure à celle de la classe A ; quand un client lui disait : « Achetez-moi quelques actions Wang », le courtier prenait des A plutôt que des B. Nous avons alors transformé la classe A en C, la plaçant au-dessous de la B dans les listes de cotations. A partir de ce moment-là, le prix des actions B est remonté progressivement.

Compte tenu de la division des titres, les prix d'ouverture étaient pratiquement équivalents à vingt-six dollars, bien plus bas que les cours extraordinaires de la fin des années 1960. Mais, un an plus tard, le cours des deux classes d'actions s'est raffermi ; depuis, nous avons effectué vingt nouvelles divisions et plusieurs émissions supplémentaires. Ainsi, un acheteur de cent actions B, payées chacune douze dollars cinquante le 21 avril 1976, possédait dix ans plus tard, deux mille titres d'une valeur de quarante mille dollars, réalisant ainsi des bénéfices plus importants que s'il avait acheté des actions avec droit de vote émises par presque toutes les autres sociétés cotées en Bourse.

En réalité, aucun des inconvénients que notre transfert à l'American Stock Exchange risquait d'entraîner ne s'est manifesté. Au contraire, aujourd'hui où nous sommes considérés comme une grande compagnie, les actions Wang comptent parmi les valeurs vedettes. De plus, nous attirons davantage l'attention que si nous étions restés au Stock Exchange de New York.

Cette décision de créer une nouvelle classe d'actions souligne combien il est important d'explorer chaque possibilité, indépendamment des règles en usage. Si aucune solution proposée ne semble acceptable d'emblée, mieux vaut chercher et finir par trouver la ligne de conduite adéquate, plutôt que d'accepter un compromis. Ces dernières années, bon nombre de ceux qui m'avaient critiqué estiment maintenant, que j'ai manœuvré habilement. Si, en 1976, je n'avais pas agi comme je l'ai fait, selon toute vraisemblance, l'occasion aurait été perdue à jamais. D'autre part, la crainte de perdre la majorité nous aurait interdit de nous adresser au marché des capitaux pour nous procurer des liquidités et nous n'aurions sans doute pas utilisé les techniques de financement les plus modernes. Ainsi, nous avons, à plusieurs reprises, émis des obligations convertibles pour acquérir des capitaux, ce que nous n'aurions pu faire, si elles avaient été convertibles en actions avec droit de vote. Enfin, notre croissance aurait sûrement été moins rapide.

Un autre point plus important encore, les marchés ont été saisis, ces toutes dernières années, d'une frénésie de prises de contrôle qui a perturbé les organes directeurs des plus grosses sociétés, forçant certaines à s'endetter ou à s'affaiblir pour pouvoir rester indépendantes. Des compagnies comme Unocal, CBS et Phillips Petroleum ne sont pas sorties renforcées des combats qu'elles ont livrés et gagnés. En 1985, pendant de longs mois, la direction de TWA a été carrément paralysée par la bataille finalement couronnée de succès menée par Carl Icahn pour acheter la compagnie aérienne. Les directeurs de TWA étaient, dit-on, tellement absorbés par leur lutte contre Carl Icahn et Texas Air que toute décision importante était suspendue. Les raiders prétendent que, par leur incompétence, les directions provoquent elles-mêmes les prises de contrôle hostiles. C'est vrai dans certains cas, mais il arrive souvent aussi que le cours des titres soit bas et que des compagnies deviennent la cible des raiders à cause de certaines lois du marché, indépendamment de la qualité de la gestion. Les marchés n'estiment pas toujours les sociétés et leurs dirigeants à leur juste valeur — aucun marché n'est parfaitement efficace.

De toute façon, le prix d'une action — que la direction soit ou non à l'abri d'une prise de contrôle étrangère — a l'effet salutaire de maintenir en éveil l'équipe en charge de l'entreprise. Si elle n'est pas à la hauteur des circonstances, les porteurs de parts étrangers à la société se débarrassent de leurs actions et ceux qui, à l'intérieur de la maison détiennent la majorité des titres — dans notre cas, ma famille, beaucoup de nos employés et moi-même —, en subissent les conséquences.

Outre cette pression constante qui m'oblige à réussir, il y a aussi le fait que la firme porte mon nom. Je me sens personnellement responsable de sa santé et de son succès. Pour toutes ces raisons, je m'intéresse, plus que n'importe quel actionnaire, à sa prospérité.

Le personnel de Wang peut assister avec sérénité aux

manœuvres plus ou moins honnêtes des groupes de raiders et de sociétés avides de prises de contrôle. Il n'a d'autre inquiétude à avoir que celles inhérentes à un travail effectué dans un environnement concurrentiel.

Vers la fin de 1976, Wang Laboratories disposait de la structure financière et de l'orientation stratégique qui ont mené la compagnie au point où elle est aujourd'hui. L'entreprise a naturellement subi plusieurs transformations, nous brassons actuellement plus d'affaires en deux semaines que durant tout l'exercice 1976. Cependant, notre activité est le résultat de la large implantation que le traitement de texte nous a permis d'effectuer dans les sociétés du « club des 1000 ». Enfin, nous avons réglé le problème du contrôle de la majorité.

Si nous en sommes arrivés là, c'est parce que nous avons su évoluer. Hormis le fait que notre monde est celui de l'électronique digitale, aucun des stades par lesquels est passé Wang Laboratories ne peut être considéré comme une extension *directe* du précédent. Chaque cycle de produits nous a donné un aperçu sur de nouveaux marchés et domaines que le cycle précédent ne nous permettait pas d'imaginer. A la frange de chaque marché, nous pouvions voir les possibilités d'enchaînement avec les produits suivants. Notre évolution a résulté de celle de la demande pour ces gammes de produits. Nous pouvions alors nous rendre compte que la série à venir impliquait le renforcement du marketing et du financement, ou encore des études et du développement ; une fois prêts, nous pouvions attaquer le nouveau marché. La compagnie devait s'adapter pour survivre dans chaque nouveau secteur où elle décidait d'entrer.

A aucun moment au cours de cette progression, je n'ai considéré l'avenir lointain. Au contraire, je recherchais ce

que la technique pouvait offrir dans les trois ou cinq
années à venir, ce que la société devrait faire pour continuer à croître et à prospérer. Je n'ai jamais prétendu avoir
assez de discernement pour prévoir l'avenir de l'industrie
informatique au-delà de cinq ans. La planification à long
terme d'une entreprise relève de sa philosophie. La nôtre
repose sur le double engagement d'accroître la productivité et de rendre le travail plus facile. Une fois, cependant,
je me suis permis une prédiction à long terme : en 1976,
aux questions souvent répétées d'analystes financiers, j'ai
répondu que Wang réaliserait un chiffre d'affaires d'un
milliard de dollars dans les dix années à venir. Etant donné
que nous n'en faisions alors que le dixième, c'était une
prédiction audacieuse. Je me suis trompé. Nous avons
franchi le seuil du milliard dans les six ans.

IV
Equilibre

13

Une entreprise moderne

La taille actuelle de Wang Laboratories reflète les leçons apprises au cours de ses trente-cinq années d'existence. La compagnie et moi-même avons acquis les connaissances indispensables — en gestion, marketing, production, distribution, service après-vente — qui nous ont permis de rester compétitifs à mesure que nous nous développions. Cette évolution nous a conduit à affronter directement IBM. Une vingtaine d'années après mes premières escarmouches avec Goliath, j'ai dû lutter à nouveau contre ce géant qui disposait d'un arsenal quasi illimité d'armes. Avec cette différence que j'étais beaucoup plus puissant qu'alors.

A partir du moment où nous avons commencé à vendre nos produits aux sociétés du « club des 1000 », nous savions qu'un jour ou l'autre, nous allions gêner IBM sur son terrain favori : l'influence que cette entreprise exerce sur les directeurs administratifs chargés des systèmes informatiques de gestion (MIS). Il s'agit des responsables de l'achat d'ordinateurs essentiellement orientés vers le traitement de l'information : logiciels relatifs à la paye, à la comptabilité et aux autres applications indispensables à la gestion d'une société. Généralement, ces logiciels sont écrits pour des ordinateurs centraux et, depuis la fin des années 1950, IBM écrasait tout le monde dans ce domaine. Paradoxalement, notre percée dans le « club des 1000 » a été en grande partie facilitée, parce que les cadres appréciaient notre matériel de traitement de texte.

Puisque nous avions décidé de développer et d'intégrer des machines traitant l'ensemble des informations, nous traitions de plus en plus avec des gens qui n'avaient jamais considéré qu'il pût y avoir une alternative à IBM.

C'est ainsi que nous sommes entrés dans la compétition extrêmement sévère qui régnait dans le secteur de la technologie de pointe. En dehors d'IBM et d'AT&T, le BUNCH (aujourd'hui composé de Burroughs, Sperry, NCR, Control Data, Honeywell), les gros constructeurs de mini-ordinateurs et, plus récemment, quelques petites sociétés florissantes se sont tous orientés vers le marché de la bureautique. Si ce domaine attire tant les convoitises, c'est parce qu'il offre à ceux qui réussissent à s'y implanter un grande stabilité et d'immenses débouchés. Au début des années 1970, nous nous sommes aperçus qu'une entreprise, dont les ventes dépendaient de petites affaires, pouvait être balayée en cas de crise économique, alors que les sociétés plus importantes continuaient à investir dans l'équipement, parce que cela servait leurs intérêts à long terme.

Malgré une concurrence très serrée, nous avons réussi à remporter de jolis succès. Aujourd'hui, si l'on considère le nombre de postes de travail, nous sommes les premiers dans les bureaux. Avant notre entrée sur le marché du traitement de texte, environ 80 % de nos revenus venaient de petites entreprises. Aujourd'hui, cette part se monte à 30 %, tandis qu'elle atteint 50 % pour nos ventes aux entreprises du « club des 1000 » et 15 % pour notre branche Federal Systems qui fournit différents organismes gouvernementaux, aussi bien l'Agence pour la protection de l'environnement (EPA) que le Département d'Etat. Les raisons de notre succès tiennent à une approche tout à fait originale des besoins informatiques des bureaux.

Au départ, le traitement de texte était important pour nous, car les bureaux nous apparaissaient comme un nouveau territoire dans lequel le traitement de l'information digitale entraînait une augmentation de la productivité. Toutefois, en dehors du fait qu'il allégeait les tâches des secrétaires, il donnait aussi un aperçu de ses possibilités dans d'autres domaines administratifs, tels que les communications ou le classement. Les directeurs se rendaient compte que l'informatisation pouvait faire encore beaucoup plus pour améliorer la productivité de leurs services.

Plutôt que d'acheter des systèmes séparés de traitement et de transmission de l'information, l'idéal serait d'avoir *un seul* terminal capable de pourvoir à tous les besoins d'un employé de bureau, qu'il s'agisse de communiquer par téléphone, de faire entrer et sortir des données ou d'envoyer des rapports. Par exemple, si Harry veut appeler George, il doit pouvoir le faire depuis son terminal, sans prendre son téléphone, et si, pendant la conversation il veut pouvoir envoyer directement des documents à George, il doit aussi pouvoir le faire sans passer par un autre terminal. Tel est l'un des objectifs de la bureautique, et au cours des huit dernières années, c'est dans ce domaine que nous avons porté nos efforts.

Notre politique a suivi deux axes différents. Le premier concernait l'expansion de nos systèmes à traitement de texte. Afin de répondre à la demande, nous avons créé la gamme des systèmes de bureau OIS (Office Information System — Système Intégré d'Information), traitement de texte susceptible d'être étendu selon les besoins de l'utilisateur. Chaque élément de ce système — poste de travail, imprimante, etc. — étant doté d'une mémoire et d'un microprocesseur, il était facile d'ajouter de nouveaux modules. De plus, le client pouvait sans peine passer d'un simple traitement de texte à la gamme OIS. Par la suite, nous avons élargi les possibilités de l'OIS en y ajoutant diverses possibilités de programmation et de traitement de données.

Le deuxième axe sur lequel nous avons porté nos efforts était lié à l'évolution de nos ordinateurs. Au début des années 1970, notre principal micro-ordinateur était le 2200 BASIC. Si, avec le temps, l'appareil avait gagné en solidité et en fiabilité, il conservait néanmoins certains défauts gênants pour de grandes sociétés. N'utilisant que le BASIC, il manquait de la souplesse qui aurait permis aux programmeurs d'écrire des logiciels en COBOL ou en FORTRAN, langages plus évolués ; enfin, il ne disposait pas d'une mémoire interne suffisante pour de très gros programmes.

Nous avons alors conçu un ordinateur plus adapté aux bureaux des grandes sociétés, point de départ de notre gamme de VS (Virtual Storage) allant des petites machines jusqu'au VS 300, dont les performances approchent celles des gros ordinateurs. Mémoire Virtuelle signifie qu'il s'agit d'appareils pouvant comporter des programmes de toute taille, y compris d'une longueur excédant la mémoire interne. Puisque celle-ci reste encore la partie la plus coûteuse du système, l'un des avantages de cette machine à stockage virtuel est qu'elle peut traiter des programmes qui tournent généralement sur de gros systèmes mais à moindre prix.

Nous avons lancé le VS en octobre 1977. Comme il était destiné à un marché nouveau pour notre société, nous avons engagé des vendeurs ayant déjà une solide expérience du traitement des données. Nous ne voulions pas que le VS apparaisse comme une extension du marché des calculatrices. Nous recherchions des vendeurs habitués à traiter avec des directeurs informatiques avertis, et sachant aborder les entreprises membres du « club des 1000 ».

Malgré tout, les ventes connurent un démarrage lent. Pour vendre le VS, nous devions naviguer dans les méandres du processus de prise de décision des grandes sociétés. C'est alors, qu'en réponse à la demande de certains clients, nous décidâmes d'ajouter le traitement de texte à notre VS. Cela changea la manière dont la machine fut perçue. Au lieu de vendre à un comité technique une unité technologique, nous pouvions offrir à des chefs de service les solutions qu'ils recherchaient. Les ventes se sont mises à grimper en flèche.

En agissant ainsi, nous permettions aux utilisateurs de bénéficier également d'un traitement intégré de l'information. Au bout d'un an environ, nous y avons adjoint la fonction de télécommunication, ce qui nous a permis de relier les différents VS d'une société à leurs ordinateurs centraux. C'était exactement la voie que nous souhaitions prendre, mais pour y parvenir, nous avons eu à résoudre pas mal de délicats problèmes, internes et externes.

Après avoir ajouté le traitement de texte au VS, nous nous sommes retrouvés avec deux réseaux de vente chargés de commercialiser le même type de produit. L'un vendait la gamme OIS et l'autre les VS. Comme le VS offrait l'avantage supplémentaire de comporter une fonction de traitement de l'information, la question se posa de savoir si cela allait réduire les ventes des OIS. Afin de diminuer les conflits potentiels, nous nous sommes assurés qu'aucune décision d'achat n'entraînait le renoncement à un équipement Wang déjà acheté. Nous avons raccordé entre eux les OIS et les VS, ainsi que les autres systèmes

Wang, les 2200, par exemple. Finalement, les ventes de nos deux gammes de produits ont décollé.

Nous avons aussi décidé que les VS actuels et futurs seraient compatibles, afin que quelqu'un qui achetait le système le plus petit puisse lui en ajouter d'autres sans perdre le bénéfice de son premier investissement. La compatibilité impliquait que l'on conserve la même technologie ; dans le cas des VS, la conception et l'architecture de nos systèmes étaient tels qu'ils ne nécessiteraient pas de modifications fondamentales avant longtemps.

Cette décision était à la fois un choix et une nécessité. Vers 1975, nous étions une société relativement petite, comprenant un seul département de recherche et de développement qui travaillait sur tous nos produits. En revanche, IBM en comptait depuis longtemps plusieurs, chacun chargé d'une gamme de machines. Si cette stratégie les rend capable de fabriquer beaucoup de produits, elle présente l'inconvénient de fournir des produits qui ne sont pas forcément compatibles entre eux. Par exemple, il est impossible de passer du Système 3 à l'IBM 4300, plus puissant. Le Système 36, sorti en 1983, est complètement différent de l'IBM 38.

Si elle résultait en partie de notre besoin de rentabiliser au maximum nos ressources, la compatibilité nous a aussi fourni un bon argument de vente contre IBM. Les clients de Wang peuvent s'équiper en sachant que les nouvelles machines n'élimineront pas les anciennes. Ils peuvent utiliser nos systèmes intégrés, quel que soit l'équipement acheté auparavant. Tout récemment, nous avons pris la décision de rendre nos systèmes intégrés compatibles avec tous les autres appareils de traitement de l'information, y compris ceux des autres compagnies, notamment d'IBM.

Pourtant, malgré tous ces efforts, nous savions qu'il faudrait réunir nos deux forces de vente. L'orientation vers la bureautique est devenue la priorité des sociétés d'informatique vers la fin des années 1970. La société DEC avait axé sa stratégie sur ce domaine deux ans avant nous, mais sans succès. Nous craignions qu'elle essaie à nouveau, et nous n'ignorions pas les manœuvres en ce sens d'IBM, de Xerox et de quelques autres sociétés d'informatique très importantes.

En juin 1979, au cours d'une conférence de presse, John Cunningham et Carl Masi ont défini notre stratégie pour les années 1980, mettant en valeur notre Système Intégré d'Information (SII) : nous nous proposions de supprimer les différences existant entre d'une part, les gammes de nos produits de traitement de texte et de données et, d'autre part les forces de vente, afin d'automatiser entièrement les bureaux, de manière à ce que chaque employé ait accès à travers un seul terminal à toute la technologie indispensable pour accomplir son travail depuis son terminal.

Lorsque nous avons annoncé l'introduction du SII (en anglais, IIS), nous livrions déjà des machines comprenant plusieurs de ses éléments. Il ne s'agissait pas de faire des promesses réalisables dans un avenir plus ou moins proche, mais de fournir un cadre permettant à tous de comprendre les futurs développements de notre action actuelle. Wang Laboratories a très vite été identifiée sur le marché comme le tenant de cette stratégie réussie. Cette idée très simple correspondait si bien à la philosophie pratique de la maison que n'importe lequel de nos employés pouvait comprendre ce que nous faisions.

Si SII offrait une solution à la délicate question interne de réunir les divisions vendant des équipements de traitement de texte et de données, nos orientations stratégiques soulevaient également une question, non moins délicate : comment aborder une grande compagnie à qui nous souhaitions vendre nos appareils ? Jusque-là, notre approche déclenchait une mini-tempête dans les grandes sociétés pour savoir qui contrôlerait les achats d'équipements électroniques.

Au cours des années 1970, sur les gros ordinateurs, on traitait les données essentiellement en différé — traitement par lots. Les différents services d'une compagnie introduisaient dans les terminaux des informations qui étaient ensuite traitées par l'unité centrale. En période de pointe, ces masses d'information provoquaient des goulots d'étranglement ; cela signifiait parfois une semaine de retard avant de pouvoir consulter les résultats.

Nous avons été les premiers sur le marché à proposer un système d'informatique distribuée répartissant les traitements des données à travers l'entreprise, au niveau de chaque département. Au lieu d'être centralisées, les informations doivent être disponibles où et quand on en a besoin. Par exemple, les services juridiques, de fabrication, de ventes ou du personnel peuvent posséder chacun leurs propres systèmes, équipés de terminaux interactifs : ainsi, la direction peut obtenir une information dès qu'il en a besoin au lieu de devoir taper sur un clavier et attendre un temps infini le résultat.

Si cette approche nous a valu un grand succès au niveau départemental, les responsables informatique MIS n'aimaient pas l'idée de perdre le contrôle des informations. Les arguments en faveur du MIS ne sont pas à négliger, puisqu'une société comprenant, par exemple, six départements ne tient naturellement pas à acheter six machines différentes, sans aucune connexion entre elles. Cette bataille se poursuit encore de nos jours, même si la solution consiste pour les directeurs à laisser les chefs de service décider de leurs achats en matériel à la condition, bien sûr, que leurs ordinateurs puissent communiquer avec les unités centrales ou avec les autres appareils de la société.

Nous nous sommes efforcés de nous tenir à l'écart de cette lutte de pouvoir. Nous avons traité avec les représentants de l'informatique depuis que nous avons vendu nos premières grosses machines, en soulignant toujours que nos succès dépendaient de ceux du département informatique. En d'autres termes, nous nous efforçons d'aider les informaticiens à comprendre les besoins du bureau et de leur proposer des idées leur permettant d'améliorer leurs investissements dans le domaine des unités centrales.

De temps en temps, les directeurs informatiques nous ont ignoré, afin d'affirmer leur autorité, mais le cas ne s'est plus reproduit au cours de ces dernières années. Nos efforts portent surtout sur le moyen de les détourner d'IBM et de les attirer vers nous. En effet, plusieurs de ces cadres ont grandi avec IBM, aussi devons-nous employer des arguments vraiment convaincants pour qu'ils considèrent d'autres fournisseurs.

L'argument revient alors à proposer davantage de services qu'IBM (ou que nos autres concurrents), et à un prix nettement plus bas. Pour lutter contre ce géant, la seule chose à faire est de consacrer toutes nos ressources à la résolution de tel ou tel problème spécifique. Dans bon nombre de contrats signés ces dernières années, ce facteur a été décisif.

Au début des années 1980, nous avons négocié une très importante commande avec une société d'expertise-comptable appartenant aux Big Eight. Elle avait décidé de s'équiper en machines Wang, mais refusait de se séparer des centaines d'ordinateurs personnels IBM déjà achetés. Si nous étions depuis longtemps capables de communiquer avec les grosses unités IBM, nous ne l'étions pas encore avec le PC. Pour la simple raison que nous estimions que le nôtre était meilleur. Toutefois, il nous apparut que l'IBM PC était devenu la norme. A l'époque responsable du département de Recherche et Développement, mon fils Fred comprit qu'il fallait voir plus loin que cette seule commande. Il demanda donc à ses chercheurs de développer un lien entre nos équipements et le PC. Le désir de satisfaire le client fut un élément déterminant dans cette décision qui aboutit à un contrat de 40 millions de dollars. Paradoxalement, une fois l'affaire conclue, la société d'expertise-comptable décida qu'elle préférait notre PC et élimina peu à peu les appareils IBM.

Plus récemment, notre politique consistant à utiliser à fond les ressources de notre département de recherche nous valut un autre gros contrat. Il s'agissait cette fois de l'une des plus grandes banques du monde. Elle prévoyait de dépenser 60 millions de dollars pour automatiser ses bureaux, mais avait déjà équipé sa maison-mère en câbles IBM. Elle acceptait d'acheter des machines Wang à la condition que nous trouvions le moyen de nous connecter à leur réseau. La discussion se déroula dans nos bureaux de Lowell (Mass.). Tandis que se poursuivait la négociation avec les banquiers, je demandai à Horace Tsiang (aujourd'hui reponsable du département de R & D) d'étudier une connexion nous permettant d'utiliser ce câble. Avant la fin de la réunion, le groupe d'Horace avait construit un dispositif que les banquiers emportèrent avec eux pour l'essayer.

Cette anecdote montre aussi comment nous fonctionnons. Non seulement nos groupes de ventes, support et service travaillent de conserve — et nos clients le savent — mais la collaboration reste aussi très étroite entre les divers départements, si bien que les services administratifs, de ventes, de maintenance et de recherche ne forment qu'une grande équipe.

Lutter contre IBM constitue l'objectif numéro un de tout grand constructeur d'ordinateurs, qu'il s'agisse de mini, de micro ou de maxis. Dans cette bataille dont les clients profitent financièrement, IBM utilise maintenant des moyens qu'elle n'osait pas employer ouvertement jusqu'alors.

Au cours des années 1970, le ministère de la Justice avait intenté un procès à IBM en vertu de la loi antitrust, l'empêchant de pratiquer des prix très bas et d'annoncer des produits qu'elle n'avait pas l'intention de vendre (pensant ainsi freiner des acheteurs susceptibles d'être tentés par les nouveautés présentées par ses concurrents). Mais, grâce à l'administration Reagan, elle a depuis connu des jours meilleurs (avec, entre autres, l'abandon du procès antitrust) et dominé tous les marchés de l'informatique, sauf un : celui des mini-ordinateurs. Si les clients peuvent effectivement se réjouir d'une pression sur les prix entraînant une baisse dans le domaine de la micro, ils ne devraient, cependant, pas négliger les conséquences qu'entraînerait la disparition de concurrents. IBM a en effet dominé les autres constructeurs d'ordinateurs, et donc a tout loisir de fixer ses prix de manière à ce que les unités centrales procurent les marges bénéficiaires les plus importantes de toute l'industrie informatique. Les membres du BUNCH ont également des raisons de s'aligner sur IBM, puisqu'une guerre des prix ne leur permettait pas de gagner des parts de marché.

De même que les constructeurs automobiles préfèrent vendre les modèles haut de gamme, car les marges sont plus intéressantes, de même IBM préférait vendre les gros ordinateurs centraux, mais ceci n'est pas sans répercussions sur le marché des ordinateurs de taille moyenne. En effet, c'est dans cette gamme qu'IBM n'est pas dominante et connaît ses marges les plus faibles. Cela se répercute bien sûr sur celles des autres constructeurs. Si IBM réussissait à supprimer toute concurrence sur ce marché, elle pourrait augmenter les prix dans tous les secteurs et attirer ses clients vers les grosses machines. Si elle ne l'a pas fait jusqu'à présent, c'est simplement parce que le marché du mini-ordinateur est toujours florissant, ce qui profite à la fois aux utilisateurs et aux constructeurs.

Mais Wang, comme d'ailleurs toutes les autres firmes de technologie de pointe y compris IBM, doit affronter un concurrent beaucoup plus redoutable : le Japon. Je parle du pays, et non d'une entreprise particulière, parce que la puissance économique de cette nation est davantage le résultat d'une action concertée du gouvernement que d'une politique spécifique à une compagnie. Ayant constaté, parfois à mon détriment, l'agressivité économique de ce pays, j'en viens à la conclusion que la seconde guerre mondiale ne lui a pas appris grand chose : loin de modérer ses ambitions impérialistes, le Japon les oriente maintenant vers le domaine économique.

Aujourd'hui, Wang Laboratories est une entreprise qui réalise un chiffre d'affaires de près de trois milliards de dollars, emploie trente mille personnes et tient sa place sur un marché très concurrentiel. Quelle différence avec nos débuts ! Certes, nous avons connu pas mal de problèmes, surtout liés à l'extraordinaire croissance de ces huit dernières années, mais rien de comparable avec les menaces des premiers mois. Si la compagnie a pu supporter victorieusement les tensions de son évolution et devenir une grande entreprise industrielle, c'est parce que son esprit et sa culture n'ont pas changé.

La culture d'une entreprise évolue au cours de ses premières années. Dans notre cas, il ne s'est pas agi d'un processus conscient. Au début, je trouvais naturel de communiquer à mes employés, peu nombreux, les valeurs auxquelles j'étais attaché. Mais au fur et à mesure de notre expansion, elles se sont diffusées à l'intérieur de la société et ont fini par former ce que l'on pourrait appeler notre culture. Définie par l'esprit de la direction et par ses principes de gestion, elle constitue un facteur déterminant de succès — ou d'échec — à long terme.

Par exemple, la devise : « Trouver un besoin et le satisfaire » nous a guidés tout au long de notre histoire. Inutile de l'expliquer, chaque employé peut la comprendre. Elle contient la notion d'initiative individuelle : Ne demandez pas si on peut faire telle chose, débrouillez-vous pour la réaliser.

Lorsque Wang Laboratories ne représentait qu'une petite entreprise, il était relativement facile d'encourager ce genre de démarche. En 1965 — nous comptions alors moins de 50 employés — Stan Zlatev, l'un des ingénieurs affecté à la LOCI, m'annonça que le programme de travail risquait de l'empêcher de profiter de la maison de vacances louée quelques mois plus tôt. Je lui proposai ma propre maison si les problèmes rencontrés avec la LOCI bouleversait ses plans. Mon offre était sincère ; mais finalement, Stan emporta son travail avec lui.

Il arrive un moment où un PDG ne peut plus faire ce genre de geste ; en revanche, il doit s'efforcer de stimuler les contacts à tous les niveaux. Nous avons ainsi officialisé un certain nombre de règles, jusque-là informelles. Une boîte aux lettres spéciale permet à quiconque estime avoir une bonne idée de me l'adresser directement sans passer par son chef hiérarchique. Cela signifie qu'une idée nouvelle ne sera pas perdue pour la simple raison que le supérieur l'aura oubliée dans son tiroir. Une tierce personne prendra ainsi connaissance de la proposition jugée suffisamment importante pour que son auteur la couche sur le papier. Cette ligne directe stimule également les rapports entre supérieurs et subordonnés.

Bon nombre de nos gammes de produits ont évolué à partir des besoins de nos clients transmis aux services des ventes ou de maintenance. Nous avons même créé un programme, appelé Wang Ecoute : lorsqu'un client important vient nous rendre visite, l'un de nos collaborateurs est spécialement chargé de l'interroger, afin de savoir jusqu'à quel point nos produits correspondent à ses besoins et pour connaître ses observations.

Cependant, même si le personnel n'ignore pas la politique de la compagnie, la tension imprimée par une croissance forte déforme parfois les messages individuels. Quand l'entreprise était encore petite, je pouvais bavarder avec les employés, entendre leurs objections ou leur expliquer ma position sur tel ou tel sujet. C'est beaucoup plus difficile aujourd'hui.

Dans toute chaîne de communication, la défaillance d'un maillon entraîne une rupture momentanée. Notre structure ressemble plutôt à une onde : procédant par sauts verticaux, elle permet à un directeur d'entrer en rapport avec un employé d'au moins deux niveaux plus bas, afin de corriger les inconvénients de la relation unique avec le supérieur direct. Il existe aussi des communications horizontales entre directeurs de même échelon mais de départements différents. D'où une structure direction-information qui ne risque pas de s'effondrer si un élément fait défaut.

Parfois, ces mesures ne suffisent pas à maintenir un flux constant d'informations à travers l'entreprise. Tant d'événements se produisent au même moment dans une société de plusieurs milliards de dollars en pleine expansion qu'en dépit des meilleures intentions, des messages importants peuvent s'égarer. Le PDG doit alors se tenir prêt à prendre des mesures extraordinaires. C'est exactement la situation que nous avons connue en 1985.

En temps normal, je n'aime pas voyager. Depuis la fondation de Wang Laboratories, il m'est rarement arrivé d'effectuer des voyages d'affaires ; à vrai dire, aucun pendant plusieurs années. Cependant, au début de l'automne 1985, je décidai d'aller rendre visite à nos différents bureaux et clients. Je changeai donc mes habitudes pour répondre à ce qui s'était passé dans le domaine de l'informatique et dans ma propre entreprise. Cette année-là, l'industrie tout entière fut touchée par la récession, au point que certaines sociétés jusque-là invulnérables subirent de sérieuses pertes. Nous ne fûmes pas épargnés. Pour la première fois en dix ans — et la seconde fois depuis sa création — Wang Laboratories connaissait un déficit durant le quatrième trimestre.

En 1985, nos dépenses avaient augmenté de 22 % ; selon nos estimations, notre chiffre de vente devait passer de deux milliards deux cents millions de dollars à trois milliards. Or, au lieu du tiers prévu, nos ventes n'ont connu qu'une faible augmentation : 8,6 % — soit deux milliards quatre cents millions. Si nous avions établi notre budget en conséquence, cela n'aurait pas été très grave, mais comme tel n'était pas le cas, il en est résulté une réduction considérable de nos bénéfices. J'ai donc dû prendre des mesures très pénibles dont celle de licenciement. Pour la première fois depuis dix ans, j'ai été contraint d'accomplir cette douloureuse démarche. J'estime, en effet, qu'il est très important pour le moral de nos employés qu'ils croient en l'avenir de la société et je détestai l'idée de faire un geste susceptible de saper cette confiance.

Si une grande partie des problèmes tenait à la crise informatique, je n'ignorais pas que certains étaient inhérents à notre société. L'année précédente déjà, de petits signes auraient dû nous alerter. Deux ou trois produits stratégiquement importants n'avaient pas été livrées à la date prévue, et les clients s'étaient plaints.

Quelques années auparavant, en 1982, je m'étais un peu mis en retrait, afin de laisser mon équipe de direction régler les affaires quotidiennes. En 1983, j'avais nommé John Cunningham directeur général de Wang. Entré chez nous en 1967, il était parvenu à ce poste après avoir organisé notre service des ventes. Il avait prouvé ses capacités à galvaniser les vendeurs et savait merveilleusement bien s'y prendre avec les financiers. Vers la fin de 1984, lorsque nos problèmes s'aggravèrent, je sentis la nécessité de reprendre les rênes. En juin 1985, John nous quitta pour prendre la direction d'une société d'informatique plus petite. Il souhaitait diriger sa propre affaire, et avoir l'espoir de faire fortune pour peu que cette société réussisse. Plutôt que de nommer un nouveau directeur, je repris ce titre. Dans cette conjoncture difficile, il me paraissait important, non seulement pour nos employés mais pour l'extérieur, d'annoncer officiellement que je tenais à nouveau la barre.

J'en suis venu à la conclusion que la communication constituait le problème-clé. En 1985, nous savions ce qu'il fallait faire et comment, mais les messages ne circulaient pas : les projets et les décisions considérés comme urgents par la direction n'étaient pas transmis aux services intéressés. Notre système ne marchait pas bien et il convenait d'y remédier sans tarder.

En affaires, rien ne vaut l'intervention directe du président-fondateur d'une compagnie pour faire passer un message. De même, un employé ou un client qui, malgré ses efforts, n'arrive pas à communiquer avec la direction, oubliera tout sentiment de frustration, si on lui donne enfin l'occasion de s'expliquer directement avec le plus haut responsable.

L'un des aspects de la philosophie Wang que nous avons développé est le sens de l'urgence. Au fur et à mesure de notre croissance, le nombre de plus en plus grand de chefs de service et de directeurs avait eu pour effet d'émousser ce sentiment. En reprenant mon bâton de pélerin, j'ai supprimé toutes ces couches intermédiaires. Je me suis mis à l'écoute de mon personnel et de mes clients. Ma présence leur était aussi nécessaire que mes paroles. Je rapportai de ces voyages non pas tant de nouvelles informations, que les priorités et les degrés d'urgence des solutions. Mon horreur des voyages ne donnait que plus d'importance à mes yeux à ces visites.

Ces tournées n'étaient évidemment pas la panacée pour notre compagnie. Néanmoins, elles caractérisent ma façon de réagir aux défis : être prêt à s'adapter quand il le faut. En reprenant la direction générale, je pris soin aussi de faire la connaissance des directeurs avec qui je n'avais pas eu l'occasion de travailler directement. Ignorant ma façon très personnelle de diriger, ils auraient pu me cacher certaines choses que, selon eux, je ne tenais pas à connaître. J'attache beaucoup d'importance aux détails et je m'intéresse spécialement à ce qui pose problème. Du fait du développement de Wang, j'ai été contraint de déléguer mes pouvoirs à des directeurs, mais je tiens à rester en rapport constant avec eux et ne pas les rencontrer seulement une fois par an à une quelconque assemblée.

Ma disponibilité ayant des limites, je ne m'occupe généralement pas d'un projet, sauf en cas de difficulté sérieuse. Dans ce cas, j'assiste aux réunions de travail, jusqu'à ce que j'estime la situation à nouveau sous contrôle. Mon rôle se borne à écouter ; je n'interviens que si l'affaire exige une décision à mon niveau, une allocation extraordinaire de fonds, par exemple ; ou encore si, à mon avis, on a laissé passer un point important. Même quand je ne prends pas la parole, ma présence a pour effet d'inciter les personnes réunies à penser qu'il s'agit d'un problème important.

Au cours du printemps 1985, j'ai ainsi assisté à plusieurs réunions destinées à coordonner la sortie d'un nouveau produit de bureautique. Il m'est arrivé d'intervenir pour résoudre un problème de ressources ou de main-d'œuvre. Au bout de quelques semaines, personne chez nous ne doutait de l'importance stratégique de ce produit.

Le choc de 1985 a eu pour effet de nous rendre plus exigeants envers nous-mêmes et nous avons abordé 1986 avec un esprit de compétition plus aigu. Dès janvier, cette attitude s'est révélée payante et nous avons remporté l'un des plus gros contrats jamais octroyés dans l'équipement informatique — huit fois plus important que tout ce que nous avions signé jusqu'alors. Nous avons enlevé de haute main à IBM un contrat de 480 millions de dollars pour l'installation de Systèmes Intégrés de Gestion dans toutes les bases de l'US Air Force disséminées à travers le monde. Il convient de souligner que nous avions battu IBM sur les prix, tout en réalisant un bénéfice confortable. Venant après une année particulièrement difficile, ce succès a remonté le moral de tous.

Une compagnie n'est pas une entité abstraite, elle se compose d'individus. Si le moral est bon, un employé travaillera au maximum de ses capacités ; s'il est mauvais, même l'organisation la plus brillante ne sera pas productive. Uniquement orientés vers la technologie de pointe, nous employons des gens très divers : ingénieurs de recherche, ingénieurs commerciaux, secrétaires. Chacun de ces groupes a ses méthodes de travail, ses exigences, d'où la nécessité pour la direction de diversifier ses approches.

Par exemple, les ingénieurs et chercheurs qui conçoivent et développent nos produits représentent, à mes yeux, l'âme de la compagnie et méritent à ce titre qu'on accepte d'eux ce que l'on ne tolèrerait pas chez un autre. Venant moi-même de l'électronique digitale, j'ai toujours eu de bons rapports avec les ingénieurs, même avec les plus capricieux. Nous parlons la même langue. Et si j'ai dû parfois veiller à ce que deux ingénieurs ennemis ne se trouvent pas dans la même salle, l'un et l'autre savaient que quelqu'un au sommet les comprenaient et les appréciaient.

Il arrive inévitablement qu'après avoir longtemps travaillé à un projet, un chercheur constate que la société y a renoncé pour telle ou telle raison. Dans ces cas-là, je m'efforce d'affecter cet ingénieur déçu à un poste de choix dans le projet suivant, pure question de bon sens, puisque le moral influe sur la productivité.

Je suis généralement disposé à courir le risque d'un échec pour trouver la solution à un problème. Aussi, suis-je très indulgent si un employé commet une erreur, ou même la répète, à condition que ce soit parce qu'il s'efforce d'aboutir à un résultat. Je commence à m'inquiéter s'il se fourvoie une troisième fois, car cela indique que les erreurs précédentes ne lui ont rien appris.

Dans une grande société, le moral dépend dans une large mesure de la manière dont le personnel envisage l'avenir de sa maison. Chez Wang, les employés savent que, très souvent, les directeurs y travaillent depuis longtemps et viennent de différents départements. Rares sont les cadres supérieurs étrangers à la compagnie ou frais émoulus de l'université.

Je crois en la vertu de la loyauté. Au cours des années,

un dirigeant peut être tenté de conclure des affaires séduisantes mais parfois moralement douteuses ; il est alors essentiel d'avoir une personne de confiance capable de déceler certains traquenards. Si nous nous sommes maintenus pendant trente-cinq ans en évitant tout scandale ou catastrophe, c'est parce que j'ai toujours été entouré d'hommes tels que Marty Kirkpatrick, Chuck Goodhue, Bill Pechilis et quelques autres fidèles collaborateurs. Marty a commencé à me conseiller comme avocat, mais il m'a aussi rendu des services inappréciables dans plusieurs affaires de la société ou dans des affaires personnelles. Il m'a prodigué de sages conseils quand nous n'étions qu'une petite entreprise et continue de le faire maintenant que nous sommes une grande société. S'il avait estimé à un moment que cela dépassait ses compétences, il me l'aurait sûrement dit.

Lorsque j'ai débuté en 1951, je ne pense pas qu'on aurait pu miser sur moi comme patron d'une affaire de trois milliards de dollars. Pourtant, j'ai appris ce qu'il fallait savoir pour y parvenir. Je suis persuadé qu'il n'est pas nécessaire de faire des études pour bien gérer une entreprise. En revanche, il faut une grande capacité d'observation, savoir expérimenter ses théories et tirer les leçons de ses erreurs. Nous sommes légion dans ce cas. Si l'on regarde qui sont les dirigeants des compagnies du « club des 1000 », on verra que bon nombre d'entre eux ne sortent d'aucune école supérieure de gestion et sont d'anciens mécaniciens, ingénieurs chimistes, vendeurs ou employés de bureau.

D'un autre côté, trop souvent,le jeune cadre bardé de diplômes entre dans une entreprise en ne pensant qu'à une chose : devenir PDG. J'en ai rencontré plusieurs qui n'éprouvaient aucun intérêt pour leur travail ou leur entreprise. Diriger une affaire pour eux consiste à gérer des actifs plutôt que de se préoccuper de ses clients. Nous devons, bien sûr, recruter des diplômés, mais ils doivent faire leurs preuves comme les autres et ne pas vouloir brûler les étapes. De même, accorder une promotion à un collaborateur de longue date permet d'éviter les mauvaises surprises. On connaît déjà ses faiblesses ou ses points forts et on a une idée de ce qu'il fera à son nouveau poste ; le risque encouru est moins grand.

Cependant, notre croissance nous oblige à engager sans cesse du personnel à tous les niveaux. En général, lorsque nous devons recruter des cadres supérieurs, nous commençons par leur donner des responsabilités légèrement inférieures à celles qu'ils sont en droit d'espérer. Il faut du temps pour s'adapter à une maison et à une structure.

Il arrive aussi qu'en raison de la croissance de l'entreprise certains acquièrent des responsabilités accrues tout en restant au même poste. Le directeur d'un département de trois personnes peut se retrouver, au bout de quelques années, avec trois cents employés sous ses ordres. Parfois, par suite de promotions ou de la croissance de la maison, des gens occupent une fonction qui dépasse leur compétence ou ils accèdent à un domaine exigeant des qualités différentes. S'ils sont compétents, je m'efforce de leur trouver un poste convenant mieux à leurs capacités.

Enfin, le moral dépend aussi de gestes prouvant que la maison s'inquiète du bien-être de ses employés. Si elle leur demande d'être autre chose que des esclaves rétribués, elle doit leur offrir des avantages matériels en conséquence. C'est ainsi que j'ai mis au point un programme intitulé « option à long terme ».

L'idée m'en est venue un jour en voiture, alors que je rentrais chez moi. Nous étions en 1976, en pleine inflation. Je me dis que le seul moyen de stimuler les employés fidèles et de leur garantir une retraite stable, quelle que soit l'inflation, serait de leur offrir la possibilité d'acheter des actions, option déterminée par le pourcentage de leur salaire divisé par le prix de l'action pendant cette période. N'en bénéficieraient que les personnes faisant partie de la maison depuis plus de cinq ans et prenant leur retraite après soixante ans. Le prix des actions fluctuant avec l'inflation, cette option à long terme leur assurerait des gains substantiels qui pourraient s'accroître selon la prospérité de la compagnie et d'autant plus élevés que celle-ci se comporterait mieux que la moyenne de l'économie. A ce jour, six millions et demi d'actions de ce type ont été réparties, octroyant à leurs acquéreurs cinquante-trois millions de dollars de bénéfice.

Il m'arrive souvent de remuer des idées, lorsque je rentre chez moi en voiture. C'est la raison pour laquelle mes associés ont tant insisté pour que j'aie un chauffeur. Ils avaient peur que, plongé dans mes pensées, je ne fasse pas attention à un camion venant en sens inverse, et ils préféraient pour moi — et pour Wang Laboratories — que je ne conduise pas. En général, je n'aime pas l'ostentation si souvent associée à l'image du PDG. Je ne possède que deux costumes à la fois que je remplace quand ils sont usés. Je préfère déjeuner seul pour pouvoir lire et réfléchir.

Lorsque je ne suis pas à mon bureau, je téléphone rarement pour avoir des nouvelles de ce qui s'y passe. Si un événement important se produit, je sais qu'on essaiera de me joindre, ce qui, hélas, est fréquent. Même au bureau, je ne règle pas les problèmes par téléphone, je préfère rencontrer les gens et discuter avec eux.

Où que je sois, j'accorde beaucoup de temps à la lecture. En dehors des grands journaux locaux et nationaux, je lis un grand nombre de périodiques et de livres. Lorsque j'étudiais la technologie, c'était l'âge des tubes à vide, mais, grâce en partie à mes lectures, je me défends encore bien à l'ère des semi-conducteurs.

Je continue à suivre les mutations qui s'opèrent dans l'industrie informatique et dans le monde. De même, j'ai l'intention de maintenir l'esprit qui a animé Wang Laboratories depuis ses débuts. Quand j'ai vendu mon brevet à IBM, cette compagnie était dix mille fois plus grande que la mienne. Aujourd'hui, elle ne l'est que vingt fois. Si nous continuons à tenir compte des leçons qui nous ont aidés à arriver où nous sommes, cet écart se réduira encore.

14

Responsabilité

J'estime que l'action d'une entreprise doit être jugée selon les mêmes critères que celle d'un individu. Les deux, en effet, ont une responsabilité identique : apporter une contribution positive au monde.

En ma qualité de fondateur d'une grande entreprise, j'ai des devoirs envers les clients, les employés, les fournisseurs, les actionnaires et la région avec qui nous travaillons, tous concernés par Wang Laboratories. En tant qu'individu, j'ai le devoir de faire profiter les institutions et les communautés locales qui m'ont apporté leur soutien d'une partie des bénéfices que j'ai pu réaliser grâce à elles. C'est la raison pour laquelle, dans mes activités aussi bien professionnelles qu'individuelles, j'ai toujours pris soin de participer le plus possible aux besoins de ma région, c'est-à-dire de Boston et des ses environs.

Ce sentiment de responsabilité envers ceux qui m'entourent est lié chez moi à l'importance que j'accorde à la loyauté. Très jeune, j'ai été témoin des malheurs qui pouvaient survenir, lorsque les personnes au pouvoir en étaient dépourvues. Je veux parler ici des abus commis en Chine pendant la seconde guerre mondiale. En l'absence d'un gouvernement central fort, les généraux locaux n'agissaient que pour protéger leur pouvoir et accroître leurs richesses, d'où, à court terme, l'anarchie et les souffrances du monde paysan, et à plus long terme, la révolution et l'instauration du régime communiste avec sa forme bien particulière d'oppression. Ces généraux corrompus furent finalement les artisans de leur propre chute, mais ils avaient, hélas, infligé de grandes pertes et misères.

La leçon à en tirer est qu'il ne suffit pas de faire confiance à une autorité extérieure pour influencer le comportement moral ou légal. C'est à l'individu ou à une entreprise d'intégrer les valeurs du corps social. On entend souvent l'argument contraire : pour certains, une entreprise doit être un outil amoral, une machine à faire le plus d'argent possible selon des règles préétablies ; elle ne doit en aucun cas être distraite de ses buts par quelques responsabilités sociales ou collectives, sous peine de voir ses bénéfices diminuer, ses ventes décroître, les licenciements augmenter et le bien-être collectif finalement en pâtir. Je suis d'un avis tout à fait opposé.

Tout d'abord, une institution doit assurer elle-même sa discipline, et si elle place le profit au-dessus de la morale, elle violera les normes de la communauté, aussi souples soient-elles. Ces violations entraîneront à leur tour une perte de confiance des travailleurs, un manque d'enthousiasme de toute une région et, peut-être des procès qui finiront par avoir un impact négatif sur la base. En revanche, une compagnie qui veille à servir son entourage et ses clients en recueillera à long terme les fruits : fidélité de la clientèle, bon climat social et bonnes relations avec l'ensemble de la région.

Ce que j'avance ici a, d'ailleurs, été prouvé. Une étude menée par Jonhson & Johnson montre que, sur une période de plus de trente ans, plusieurs entreprises choisies exclusivement à cause de leur réputation en matière de responsabilité sociale ont vu le cours de leurs actions progresser bien plus rapidement que la moyenne des autres sociétés cotées.

Bon nombre de sociétés américaines ont sciemment choisi d'adopter une politique de responsabilité sociale plus élevée que la loi ne l'exigeait. Jonhson & Johnson, par exemple, demande à son personnel de lire, d'étudier et de signer un code écrit d'éthique professionnelle. L'entreprise espère ainsi inciter ses employés à l'adopter également dans leur vie quotidienne. Même si je vois les choses différemment, je comprends très bien l'esprit qui anime cette mesure. Je préfère, pour ma part, insuffler par l'exemple à ma compagnie les valeurs qui me semblent essentielles.

La nature même des affaires rend indispensable une telle orientation. Tout au long de cet ouvrage, j'ai souligné la relativité des événements et l'importance de l'adaptabilité du comportement tant individuel que collectif. Comme les marchés et les goûts changent, il est normal que les entreprises et les individus ayant choisi de rester compétitifs sur ces marchés changeants évoluent également. De plus, les qualités nécessaires pour se maintenir se modifient aussi. Si des décisions rapides s'imposent parfois, dans d'autres cas, la patience est une forme de sagesse. Devant ces fluctuations continuelles, il importe que deux facteurs restent constants : l'entreprise ne doit jamais oublier sa raison d'être ni ses dirigeants se compromettre par pur opportunisme. Faute de quoi, l'affaire risquerait de perdre son identité, entraînant avec elle tous ceux qui y travaillent.

Il ne s'agit pas d'un problème simple. Au fur et à mesure de sa croissance, une entreprise peut, sous la pression, négliger sa mission. Dans un marché où certains se permettent tous les coups, la tentation est grande de tricher à son tour. Par exemple, étant une société multinationale, nous pourrions être compétitifs dans un certain nombre de places du Tiers-Monde, où la corruption et les pots de vin font partie de la marche normale des affaires. Plusieurs compagnies tolèrent cette situation — souvent à contre-cœur — et font savoir à leurs employés qu'elles ne désapprouveront pas ces méthodes, si cela se traduit par une augmentation des commandes. Pour ma part, je m'y refuse. Ce qui explique l'absence de succursale Wang là où ces pratiques prévalent.

Il existe aussi des cas où ce n'est pas la morale qui est en jeu, mais la justice. Il y a une dizaine d'années, j'ai éprouvé quelque malaise à avoir une succursale en Afrique du Sud. Appartenant à une race qui avait connu la discrimination, je ne pouvais feindre d'ignorer les excès de l'apartheid. D'un autre côté, je ne voulais pas abandonner nos clients ou nos employés là-bas. Nous avons finalement décidé de vendre notre succursale à son directeur. Cette mesure a réduit notre présence directe, tout en nous permettant de continuer à vendre notre matériel à ce distributeur. Nous avons maintenu nos relations jusqu'à l'an dernier. J'espérais, en effet, que l'Afrique du Sud finirait par modifier son attitude. Malheureusement, il n'en a rien été. Je me suis alors rendu compte que rien ne changerait si des gens comme moi ne se montraient pas plus sévères. J'ai alors définitivement supprimé nos livraisons. Nous n'avions pas le choix.

Comme la compagnie porte mon nom, ses règles de conduite doivent se calquer sur les miennes. J'ai fondé Wang Laboratories, dans le but de concevoir du matériel et d'offrir des services susceptibles d'accroître la productivité et de simplifier le travail. Cependant, si, en poursuivant cet objectif, mon entreprise avait exploité ses employés ou la région où elle était établie, si elle avait conclu des affaires quelque peu malhonnêtes, cela aurait réduit à néant les contributions positives qu'elle aurait pu apporter grâce à ses produits. On dit que, finalement, il ne reste rien à un individu sinon sa réputation. Dans mon cas, celle-ci est bâtie non seulement sur mes propres actes, mais aussi sur ceux de Wang Laboratories.

Notre réputation est directement déterminée par les relations que nous entretenons avec nos employés, nos clients et notre environnement. Elle repose sur la confiance et la compréhension nées d'actions concrètes menées pour y parvenir. C'est la raison pour laquelle j'ai tout fait pour retarder les licenciements au printemps 1985, décision imposée par la crise de l'informatique. Toutefois, en dehors de cette mesure exceptionnelle, nous n'avons pas rencontré de gros problèmes et je pense que nos rapports continueront à être excellents.

Ces licenciements comportaient aussi une leçon : ce n'est qu'en ayant des bénéfices qu'une compagnie sert les gens qui dépendent d'elle. J'ai essayé de créer des systèmes permettant à notre personnel de profiter de notre prospérité. Au lieu d'un plan de retraite, Wang a mis au point des plans de participation aux bénéfices, d'achat d'actions et de bonifications. Grâce au plan d'achat, un employé peut acquérir des actions à un prix égal à 85 % du cours le plus bas pratiqué le premier ou le dernier jour de chaque semestre. Dans le chapitre précédent, nous avons déjà mentionné le programme d'option à long terme.

Ces mesures associent nos employés à notre réussite. En fait, le plus grand souci des résultats trimestriels vient généralement de la société elle-même plutôt que de l'extérieur, puisque sa croissance entraîne une plus-value des actions et des options entre les mains du personnel. Les employés de longue date ont la satisfaction de voir l'argent de leur retraite — leur investissement dans Wang — augmenter plus vite que n'importe quel fond de retraite. La plupart se rendent compte que leur investissement ne peut croître qu'avec Wang.

Les habitants de la région où nous sommes implantés savent qu'en décidant de s'installer dans les villes situées autour de Boston, Wang a choisi de rester dans cette zone. Lorsque nos installations de Tewksbury se sont révélées trop petites, nous avons cherché du terrain dans les environs, d'autant que nous voulions ajouter une usine de construction. On nous a alors parlé d'un bel ensemble à Lowell. L'immeuble avait été dessiné par l'architecte japonais très connu, Minoru Yamasaki, et construit à la fin des années 1950 par CBS Electronics qui, à l'époque, avait l'intention d'y fabriquer ses semi-conducteurs. Vendu ensuite à Avco et enfin Mostek, il était à nouveau libre en 1976. Au début, nos directeurs ne s'y intéressèrent pas, parce qu'il était beaucoup plus beau que ce qu'ils recherchaient, mais un jour, quelqu'un m'en parla et je décidai d'aller y jeter un coup d'œil.

L'immeuble était vendu avec un terrain de six hectares, d'où des possibilités d'agrandissement, le tout proposé à un prix raisonnable. Tout en visitant les lieux, il me vint à l'esprit que je recherchais plutôt des bureaux qu'une usine et qu'il était plus logique d'installer mes quartiers généraux ici et de conserver l'usine à Tewksbury. En effet, si la plupart des ouvriers s'étaient installés dans les environs immédiats, les cadres supérieurs et le personnel administratif avaient choisi d'habiter un plus loin. Mieux payés, ils pouvaient se permettre de loger où ils le désiraient. Contrairement aux ouvriers, effectuer un trajet plus long de dix kilomètres ne les gênerait guère.

Lowell occupe une place à part dans l'histoire de l'industrie américaine, puisque c'est là qu'au début du dix-neuvième siècle, la Révolution industrielle a été introduite aux Etats-Unis. C'est aussi l'une des premières villes américaines construite selon un plan, disposant d'un réseau compliqué de canaux et d'usines, rêve conçu par James Russell Lowell. Florissante pendant les beaux jours du textile, elle n'avait cessé de décliner depuis et était souvent citée comme exemple de l'incapacité des villes industrielles du Nord-Est à s'adapter aux changements économiques. Très syndiquée, connaissant un taux de chômage de 15 % (alors qu'il était de 9 % pour le reste de l'Etat), en proie à des luttes de pouvoir, la ville voyait ses hommes d'affaires et ses jeunes s'en aller par vagues et ne semblait vraiment pas l'endroit idéal pour y établir ses quartiers généraux.

C'est pourtant ce que nous avons fait ; et nous n'avons pas pris cette décision, comme le bruit en a couru, parce que la ville nous offrait un prix très bas. Lorsque nous avons acheté l'ensemble, Lowell n'a manifesté aucun intérêt à notre égard. En réalité, les notables auraient préféré attirer une entreprise beaucoup plus importante et, à mon avis, ils furent d'abord déçus par notre choix. Mais comme notre installation coïncida avec une croissance en flèche de notre affaire, ils se montrèrent agréablement surpris de notre contribution à l'économie locale.

A l'origine, le bâtiment faisait près de trente mille mètres carrés et nous n'occupions que la moitié. Harry Chou, notre directeur financier, proposa de louer la partie inutilisée, mais je préférais attendre avant de le faire. Un an plus tard, nous manquions de place et envisagions de nous étendre. Comme il nous fallait une aire de stationnement assez grande, il ne nous restait plus qu'à construire en hauteur. Malheureusement, dans la région, les immeubles ne devaient pas dépasser cinq étages. Il nous fallut donc demander une dérogation à la ville.

Entre-temps, nous avions établi de bonnes relations avec les notables et les fonctionnaires de la mairie. Déjà pratiquée avec succès à Tewksbury, cette politique se révéla payante : nous avons obtenu à la fois gain de cause sur la hauteur de nos immeubles et un prêt communal à faible intérêt. Même si notre croissance s'effectuait par bonds désordonnés, la mairie était ravie que nous restions à Lowell ; quant à nous, nous savions que nos relations de bon voisinage nous permettraient de nous développer ici. Au lieu de déplacer nos quartiers généraux dans une ville plus grande, nous avons préféré construire trois tours de douze étages dominant la vallée Merrimack. En 1985, la surface de nos bâtiments était passée de trente mille mètres carrés à deux cent trente mille, et ils étaient tous à quelques dizaines de mètres les uns des autres.

Nous avons eu un impact évident sur l'économie locale. Lowell connaît un taux de chômage actuel de 3 % environ, chiffre très inférieur au reste du Massachusetts et même du pays. Nous sommes le plus gros employeur de la région ; en outre, bon nombre de petites affaires se sont développées grâce à l'afflux de population et d'argent accompagnant notre expansion.

L'implantation d'une entreprise prospère dans une région a pour effet positif que l'argent qu'elle et ses employés dépensent provient de ventes effectuées en dehors de la région. A la différence des magasins qui ramassent les dollars locaux (ventes) et les expédie ailleurs (aux fabricants des produits vendus), nous sommes une source de richesse pour la région. Et nous créons des emplois.

Assez souvent, Wang prépare des projets en accord avec Lowell. Il y a quelques années, la ville se rendit compte que, si elle voulait attirer des grandes compagnies nationales et internationales, il lui fallait un grand hôtel près du centre. Elle n'avait cependant pas les moyens de financer l'édification d'un Hilton. Au cours d'une réunion avec le sénateur Paul Tsongas (originaire de Lowell) et Joe Tully, chef des services municipaux, nous trouvâmes très vite une solution. Je décidai de déplacer notre centre de formation situé alors à Burlington (Mass.) et de l'installer au cœur de Lowell dans un immeuble que nous construirions à cet effet. Comme des gens venus de tout le pays allaient fréquenter ce centre d'apprentissage, il faudrait un hôtel pour les loger. Ces dispositions permirent à la ville d'obtenir les crédits nécessaires et le centre contribua à donner un nouvel élan à Lowell. Aujourd'hui, clients et employés du monde entier y affluent, répandant ainsi partout la renommée de Lowell.

A mesure que Wang Laboratories prospérait, ma fortune s'accroissait, ce qui finit par me poser le problème de savoir que faire de toute cette richesse. Les besoins de mes enfants étaient largement couverts par le Family Trust ; d'autre part, comme mon épouse et moi ne menons pas une vie luxueuse, nous ne dépensons qu'une petite partie de nos revenus. J'ai donc aujourd'hui la possibilité de manifester ma reconnaisance aux institutions et à la région dont l'aide m'a été si utile en effectuant des dons divers. Pour moi, la dette que j'ai à leur égard doit s'exprimer de façon matérielle et ne pas se limiter à des gestes symboliques. En fait, ces dernières années, j'ai plus donné que je n'ai gagné.

Si mes années passées à Harvard ont été très bénéfiques pour moi, cela ne signifie pas que j'avais automatiquement droit à ces bénéfices. Même si je n'avais pas aussi bien réussi financièrement, j'estimerais être en dette avec cette université. J'estime aussi avoir une dette — moins directe mais néanmoins réelle — envers Boston et sa région.

Depuis peu de temps, ma principale activité publique concerne l'enseignement supérieur. Aujourd'hui en effet, notre économie demande encore plus de connaissances qu'à mes débuts. La réussite personnelle et nationale dépend d'une main d'œuvre hautement qualifiée, et j'ai consacré une grande partie de mes efforts à contribuer à la poursuite de cet objectif. D'abord membre du Conseil de l'Enseignement supérieur du Massachusetts, j'ai été ensuite nommé au Conseil des Régents comme administrateur de l'université Northeastern et du Boston College, ainsi que conseiller à Harvard. En me familiarisant avec les problèmes universitaires, j'en suis venu à me demander si je ne pouvais pas apporter une aide encore plus efficace dans ce domaine.

Boston et ses environs représentent sans doute la plus grande concentration d'établissements d'enseignement du pays et je ne voulais surtout pas fonder une institution qui entrerait en compétition directe avec une université déjà en place. La perspective la plus intéressante semblait se situer au niveau des études de troisième cycle. Comme plusieurs institutions locales avaient abandonné différents projets à ce niveau, je ne gênerais personne en en créant de nouvelles.

Je souhaitais également apporter ma contribution à l'étude de l'informatique. Malgré son succès récent dans les campus et les importants crédits que les universités lui consacraient, il restait encore bien des voies à explorer, dont l'amélioration de la conception et de l'efficacité des logiciels, indispensables pour rendre un ordinateur utile et convivial. Le domaine du génie logiciel me paraissait donc pouvoir constituer un bon début. Chez nous, comme dans toute autre compagnie, certains manifestent un don particulier pour les programmes, alors qu'ils ne connaissent pas grand chose aux ordinateurs. Ce seraient précisément ceux-là qui tireraient le plus de profit d'études en génie logiciel.

256

Cette idée de fonder un institut apportait en même temps une réponse à une question qui me préoccupait : que deviendront toutes mes actions Wang à ma mort ? Je voulais me séparer de mes titres, mais sans entraîner une désorganisation du marché boursier et, surtout, sans que cela ait une influence négative sur la valeur des actions ou des options détenues par mes employés, dont elles représentent la retraite. Il en allait de ma responsabilité envers tous les autres possesseurs d'actions Wang.

En février 1979, lors d'une croisière que Lorraine et moi effectuions dans les Caraïbes et en Amérique du Sud, la solution s'imposa soudain. Je me souvins qu'une institution universitaire pouvait recevoir des actions, sans avoir à en disposer dans l'année comme c'était le cas pour les fondations. Ainsi, je pouvais fonder un établissement d'enseignement supérieur tout en réglant le problème de ma succession.

Pendant mes vacances, je dressai les grandes lignes de mon projet et, à mon retour, je m'occupai de le faire aboutir rapidement. En avril, j'organisai le Conseil de l'Institut et en juin, nous reçûmes l'autorisation de créer un diplôme de génie logiciel. Nous nous installâmes dans un ancien séminaire mariste situé à Tyngsboro (Mass.), proche de l'Etat du New Hampshire, et auquel on avait accès soit par la 128, soit par la 495, les deux grandes routes de l'industrie de pointe de Boston. Bâti au milieu d'un parc de deux mille mètres, cet ancien séminaire était l'endroit idéal pour le Wang Institute qui ouvrit ses portes en janvier 1981 avec une première classe de cinq étudiants.

Au cours des années, il s'est agrandi et accueille des étudiants, à temps complet ou partiel, venant de diverses compagnies — DEC, Raytheon, Bell Labs, Hewlett-Packard et, bien sûr, Wang. Très bientôt, il pourra offrir des cours plus diversifiés. Tel qu'il est aujourd'hui, il justifie mes espérances et répond à la fois aux besoins des étudiants et à ceux des entreprises.

Parmi mes autres projets, j'ai également souhaité améliorer la compréhension entre les sociétés chinoise et occidentale. Le Wang Institute a inauguré un programme proposant des bourses à ceux qui souhaitent poursuivre des études sur la Chine après leur doctorat. La seconde phase consistera à offrir une aide similaire aux spécialistes issus de sept institutions d'Asie. J'ai également créé au MIT un fonds d'aide aux ingénieurs venant de Chine. Dans le domaine culturel, j'ai stipulé que, sur la donation que j'ai faite à Harvard, un million de dollars soit attribué au Fairbank Center, chargé de promouvoir les études de chinois ; enfin, je suis l'un des principaux membres bienfaiteurs de l'Institut Culturel Chinois de Boston qui s'efforce, par le biais d'expositions et de diverses manifestations, de développer une meilleure compréhension de la culture chinoise. D'autres occasions, j'en suis sûr, me permettront d'apporter encore ma contribution à l'enseignement et à la compréhension inter-culturelle.

J'ai ensuite décidé de me rendre utile dans deux autres domaines : les arts et la santé publique. En 1983, Jack Connors de Hill, Holiday fut chargé d'étudier comment résoudre les problèmes financiers du Metropolitan Center de Boston, une magnifique salle de spectacle qu'il était indispensable de restaurer. Il me demanda si je voulais participer à cette opération. J'acceptai aussitôt. Wang Laboratories a toujours mis en avant les possibilités culturelles et universitaires de Boston pour attirer le meilleur personnel. Nous citions le Musée des Sciences, celui des Beaux-Arts, l'Orchestre symphonique de Boston ou les Ballets, toutes institutions fonctionnant en grande partie grâce aux fortunes léguées par de précédents donateurs, fortunes faites dans le textile, les machines-outils et plusieurs industries qui, à quelques exceptions près, s'étaient à présent éteintes dans la région. En 1983, on ne peut pas dire que la technologie de pointe faisait preuve de philanthropie.

Or, il se trouvait que cette industrie bénéficiait des avantages de Boston sans rien donner en échange, ce que j'estimais regrettable. Il me semblait qu'en donnant de l'argent au Metropolitan Center, je pourrais inciter d'autres nouveaux riches de l'informatique à m'imiter. J'en discutai avec Lorraine et nous tombâmes d'accord pour aider le centre : Lorraine verserait un quart de la somme et moi les trois quarts. Il nous fallut à peine vingt-quatre heures pour mettre au point ce projet.

En tout, nous avons fait une donation de quatre millions de dollars ; mais pour que cette subvention ait le maximum de portée, nous nous en sommes servis comme d'un « appel incitatif », cela signifiait que pour que nous versions cette somme, d'autres devaient verser un montant équivalent. Le Centre étant très endetté auprès des banques et de créanciers, je posai la condition suivante : les banques devaient accepter de réduire leur créance de deux millions de dollars. Ainsi, nos quatre millions entraînèrent un afflux supplémentaire de six millions. Aujourd'hui, le Wang Center attire des milliers d'auditeurs pour toutes sortes de manifestations, qu'il s'agisse de concerts classiques, rocks ou de spectacles de danse.

Lorraine et moi prenons ensemble les décisions concernant nos dons. Il arrive qu'elle propose une chose et moi une autre. Nous souhaitions tous les deux aider le département de la Santé de Boston, mais nous n'arrivions pas à savoir comment. Plutôt que de verser une somme pour la recherche, nous préférions être sûrs que notre argent profiterait immédiatement au plus grand nombre possible de gens. Finalement, Lorraine trouva la solution sous la forme d'une unité de soins pour malades externes à l'intérieur du Massachusetts General Hospital. Cette unité permet chaque année à plus de 450 000 personnes de bénéficier des compétences de l'hôpital.

Dans mon activité aussi bien philanthropique que professionnelle, une même idée me pousse : identifier un besoin et le réaliser. Boston et sa région m'avaient aidé de multiples façons et je me sentais obligé de le leur rendre. Lorsqu'en naissant nous entrons dans la société, nous recevons l'héritage de ceux qui nous ont précédés. Il est de notre devoir de l'augmenter pour ceux qui nous succèderont. J'estime que nous tous devons davantage au monde que ce que nous avons reçu à notre naissance.

Récemment, j'ai eu le très grand honneur d'être décoré de la Médaille de la Liberté. Remise lors des cérémonies marquant l'anniversaire de la statue de la Liberté, cette distinction honorait douze Américains nés à l'étranger mais ayant marqué l'Amérique. Parmi les autres membres de ce groupe, je citerais Elie Wiesel, un rescapé de l'Holocauste, l'architecte I. M. Pei, le Dr Albert Sabin, l'inventeur du vaccin oral de la poliomyélite, et le compositeur Irving Berlin. En choisissant ainsi de rendre hommage à la contribution de citoyens de fraîche date, l'Amérique montrait son esprit de générosité. Si la société américaine est loin d'être parfaite, elle est pratiquement la seule sur la planète à offrir autant de possibilités de s'épanouir. C'est elle qui m'a permis de me réaliser, et à mon sens, elle mérite d'être aimée.

Epilogue

Pour bon nombre de gens, leur scolarité ou leur métier représentent le prix à payer pour réaliser leurs véritables projets. Je ne reconnais pas cette séparation. Mes études, mes recherches au laboratoire de Calcul de Harvard, ma carrière — fonder et développer Wang Laboratories —, tout m'a prodigieusement intéressé. Je passe mes journées à faire ce que j'ai vraiment envie de faire. J'éprouve toujours la même satisfaction à transformer une idée en un produit concret ; et les changements incessants ne font qu'augmenter le stock de nouvelles idées qui ne demandent qu'à être concrétisées. L'excitation que provoquent ces perpétuels défis compense largement les erreurs commises le long de mon parcours.

On a jamais fini d'apprendre.

Table des matières

Cet ouvrage a été composé par Eurocomposition (Sèvres)
et imprimé par la S.E.P.C. à St-Amand-Montrond (Cher)
pour le compte des Éditions Londreys

Achevé d'imprimer en février 1987

N° d'impression : 391.
Dépôt légal : mars 1987.
Imprimé en France